Pantalo

Pantalones cortos

Lara Ríos

Ilustraciones de Daniela Violi

www.librerianorma.com
Bogotá, Buenos Aires, Caracas, Guatemala,
Lima, México, Panamá, Quito, San José,
San Juan, Santiago de Chile

ISBN 10: 958-04-3451-4
ISBN 13: 978-958-04-3451-1

Primera edición, enero 1996
Tercera reimpresión, febrero 2015

Impreso por Cargraphics, S.A. de C.V.
Impreso en México - Printed in Mexico

www.librerianorma.com

Edición: Cristina Puerta Duviau
Diagramación y armada: Andrea Rincón Granados
Diseño de cubierta: Patricia Martínez
Ilustraciones: Daniela Violi

CC 26011076

A mis nietos:

Alvaro José, Elke,
Alejandra, Carl,
Stefan, Andrés,
Christine, Annelise,
Thomas y Marielle.

Lunes 7 de marzo

Ayer fue mi cumpleaños y encontré sobre mi cama, entre los regalos, un libro con las hojas en blanco; en la tapa tenía la palabra "Diario" con letras doradas. No supe quién me lo había regalado.

—¡Qué tontera regalarle a uno esto!

—¿Quién de ustedes lo quiere? —les pregunté a mis hermanos.

—¡Yo lo quiero! —contestó Ana con alegría. Me servirá para hacer dibujos.

—Si me lo regalás a mí —dijo Jaime—, voy a hacer un diario o un álbum de poesías.

—La verdad —les respondí— es que no se lo voy a regalar a nadie. Lo voy a usar como álbum de fotografías. Creo que servirá.

—¡Agarrado! —dijo Ana enojada.

De pronto pienso que mi colección de fotografías se va a ver mal en un libro tan pequeño, y le pido a mi hermano mayor que me explique bien cómo se hace un diario.

—Bueno… es la cosa más fácil del mundo: primero ponés la fecha y después escribís lo que pasó en el día, bueno o malo. Y eso mismo hacés todos los días.

—¿Todos los días? —le grité. Ni pensarlo. Tal vez, con un gran esfuerzo, día por medio. Aunque a mí a ratos me da por escribir, pero no siempre.

—Entonces no podés llamarlo "Diario" —afirmó Jaime.

—No importa; lo llamaré "Porme-diario".

—¿Un pormediario? —preguntó Ana.

—Pero eso es un animal que vive en el desierto y tiene una pelota en la espalda. Yo lo estudié en la escuela.

—¡Callate, tonta! Eso es un dromedario y además no hablamos de animales ahora.

¿Por qué será que las mujeres siempre dicen tonterías?

Miércoles 9 de marzo

Es la peor pereza estar en el colegio. Porque hay otras perezas que no me importan tanto, como ayudar a cortar el zacate a mi abuelita, o limpiar el automóvil, o rezar cuatro veces seguidas la misma oración cuando me voy a acostar, porque como a mí se me olvida rezar casi todas las noches, esa es una manera de reponer para que Dios no se enoje conmigo.

Pero volver al colegio, después de tres meses de vacaciones, es algo tan terrible, que a uno le cuesta acostumbrarse.

¡Tenía tantos deseos de ver otra vez a mis compañeros de clase!, pero ya se me quitaron las ganas. Son unos matones, y toda la bulla es porque crecieron como una cuarta más que yo. Me gustaría ser portero del equipo de fut de mi clase, pero ellos me dijeron que no.

—Sería como poner una vainica a que atajara a un tomate —se burló Toni, y todos se rieron.

—Cuando seas más hombre, entonces sí…

Pero cuando sea más hombre a ésos no les va a quedar ni un solo diente en su lugar.

Y hablando de dientes, Toni los tiene bien salidos y el dentista le puso unos alambres plateados para metérselos. Cuando yo crezca la cuarta que me falta, y si me vuelve a decir algo, se va a llevar tal pescozón, que los dientes le quedarán más bien para adentro, gratis y sin necesidad de tratamiento.

Los maestros también me tienen el ojo puesto y me apuntan en la libreta de comportamiento a cada rato.

—Arturo Pol —me dijo hoy el profesor de matemáticas, con acento de limón agrio— está apuntado en la libreta porque no trajo la tarea.

De nada valió la explicación de que mi hermanito José, que está en el kinder, me rayó todo el cuaderno y me hizo unos dibujos de casitas y patos. Y para que los patos nadaran, metió el cuaderno en la pila de lavar ropa.

Hoy estuve muy raro y con ganas de llorar, pero como necesito hacerme hombre, no solté ni una lágrima. Es que a ratos me siento como si nadie me quisiera; como que estorbo.

Mamá siempre habla de que a veces nos mandan una de cal y otra de arena y eso quiere decir que tal vez el día de mañana sea mejor que el de hoy.

Viernes 11 de marzo

Mi mamá visita todas las semanas un Hogar Infantil, donde viven niños abandonados por sus padres. Ella tenía que ir ayer, y me pidió que, por la tarde, la acompañara.

—Llevate tu bola de fut —me dijo—. Podés jugar con los chiquitos un rato y verás qué felices van a estar con vos. A esos niños hay que empezar por enseñarles a sonreír.

—No es posible —le dije—. Apuesto a que si les hago cosquillas se ríen.

—No les hagás cosquillas, Arturo, a los más pequeños les movés un chilindrín y jugás con ellos un rato. A los mayorcitos hablales y prestales tu bola.

Llegamos al hogar. El zacate del jardincito de afuera estaba muy crecido y lleno de hierbas.

—¡Ay, Arturo! —me dijo mamá—. La próxima vez que vengamos, traeremos un machete y, entre los dos, podemos cortar el zacate. A veces no hay plata para pagarle al jardinero.

Entramos a la casa… Cuatro niños y dos niñas me miraron con ojos grandes y tristes. A mi mamá le llamaron "mami" y se le pegaron a las enaguas, pidiendo que los alzara. Subían los bracitos tratando de

llegar hasta las mejillas, porque querían
besarla. Yo sentí algo raro en la garganta,
como si me hubiera tragado un tapón de
corcho, porque eso de que le salgan a uno
seis hermanos más, de un solo golpe, es
cosa de asustarse. Después me miraron y
me preguntaron de quién era la bola.

—Es mía —les dije.

—¡Ahhh!…

Pero no hicieron ningún intento de
quitármela.

—Venga —me dijo un negrito— para
que conozca dónde dormimos y vea los
juguetes que tenemos.

Lo seguí; los demás vinieron detrás de
nosotros y no se cansaban de hablar. Todos
querían enseñarme sus cosas.

Pasamos primero por un dormitorio donde estaban los bebés en sus cunas. Mamá entró ahí. Nosotros seguimos al dormitorio siguiente. Era un cuarto grande con seis camas. Cada niño guardaba sus cosas en seis diferentes estantes. Así, cada uno me enseñaba algo:

—¡Vea mi vestido qué lindo! —me dijo una de las chiquitas.

Tenía un hueco y estaba muy usado, pero yo no le dije nada.

—¡Vea, vea! Yo tengo dos pantalones.

—¡Qué dichoso! —le dije por decir algo.

—¿Quiere ver la foto de mis papás?

Y el negrito me enseñó la fotografía de una pareja de señores rubios. Mamá me explicó después que son de Suecia y que lo van a adoptar. Cada uno me enseñó su ropa y sus tesoros: muñecas sin brazos, carritos sin ruedas, tucos de madera…

—¿Quieren jugar con mi bola? —les pregunté.

—¡Sí! ¡Sí! —contestaron mientras saltaban en el mismo lugar y aplaudían contentos.

Salimos al patio y yo organicé un partido de fut, con los tres mayores. El otro chiquito era muy pequeño y las niñas no quisieron jugar.

Al rato me aburrí y les dejé la bola.

Fui a buscar a mamá. Tenía un lápiz y un papel y dibujaba algo.

Las niñas estaban a su lado.

—Dibújeme un caballo —decía una.

—A mí, una casita con un árbol —decía otra.

—A mí, una flor…

—A mí, una tortuga…

—Esperen —decía mamá—, que no tengo cuatro manos.

—Dibújeme un papá y una mamá bien lindos, por favor —pidió una de ellas. Mamá comenzó a toser. Esa maña la conozco bien y sé que lo hace para disimular que quiere llorar.

—¿Se los dibujo yo? —le pregunté a la chiquita.

—Bueno, pero que sean bien lindos.

Hice un dibujo así:

La chiquita se quedó viendo el papel y luego se sonrió. No me dijo nada y salió corriendo a meterlo debajo de la almohada.

Pienso que sí le gustó.

En ese momento sentí ganas de darle un beso muy grande a mi mamá y así lo hice.

—¿Qué pasa, Arturo? —me dijo, mientras me miraba con sus ojos negros y brillantes.

—Nada, sólo que te quiero mucho. ¿Me podrías dar un cuchillo de cocina?

—¿Para qué? —preguntó sorprendida.

—Es para cortar un poco las hierbas del jardín de afuera.

Estaban durísimas, pero las arranqué y el jardín se ve diferente, más limpio.

Cuando mamá decidió que debíamos regresar, los niños se pararon en la puerta para despedirnos. Otra vez serios, con los ojos grandes y tristes.

El negrito tenía mi bola y no hacía ningún intento de devolvérmela.

—¿La podemos guardar en esta casa hasta que usted vuelva? —me dijo con una gran sonrisa mientras me enseñaba sus dientes blancos.

—No —le contesté— porque yo la necesito.

Cogí la bola y salí corriendo, antes de que alguien me la quitara, y me metí dentro del carro. Mamá llegó minutos después y encendió el motor.

En ese instante sentí el corazón como una bolsa de papel arrugado y le dije a mi madre:

—¡Un momento! Voy a dejar la bola aquí por unos días, para que ellos jueguen.

Se la di al negrito otra vez. Entonces se le formó la enorme sonrisa de dientes blancos.

—Adiós —le dije.

Y salí muy contento, porque creo que le enseñé a sonreír con ganas.

Domingo 13 de marzo

—Yo no sé qué pasa con Arturo que no crece —dijo hoy mamá en el desayuno.

—Está como encantado —le contestó Cecilia, la muchacha que le ayuda con el trabajo de la casa.

—Es que le falta hacer más deporte. Sólo juega fut dentro de la casa —comentó papá—. Le falta aire y sol.

De todo lo que dijeron, lo que más me sonó fue eso de encantado... A lo mejor se metió una bruja por la ventana, mientras

dormía, me echó algún polvillo mágico para que no creciera, y me dejó con ese encantamiento por el resto de mi vida. Por dicha que no le dio por convertirme en sapo, como a un pobre príncipe que conocí en un libro y que le costó mucho que alguien le diera un beso para desencantarlo.

Yo sé que soy bajito, pero no soy un enano. En la clase hay dos más bajos que yo... y treinta más altos...

Cada día me mido en la misma pared y pongo rayitas, señalando por dónde voy en crecimiento. Pero como no crezco casi nada, ahora sólo hay una raya gorda.

Yo creo que es por la "enanez" que a veces no quieren jugar conmigo en la escuela. Tampoco me llaman para ser portero del equipo de fut. Entonces me siento solo. Lo mismo sucede en mi casa. Aunque somos siete personas, a veces siento como si no supieran que estoy allí. ¡Están todos tan ocupados!

Entonces me voy a ver a mis tres perros y juego con ellos. Así me siento mejor.

Martes 15 de marzo

Estoy con paperas. Ayer me comenzó la enfermedad con mucho dolor de oídos.

Hoy amanecí con dos grandes hinchazones debajo de las orejas. Bueno… la verdad es que tengo un lado más hinchado que el otro.

Mis hermanos se ríen cada vez que me ven y me dicen que parezco un fenómeno.

No me dejan levantarme, porque dice mamá que se pueden ir para abajo. No puedo escribir mucho porque tengo fiebre y me arden los ojos y me lloran. Así que no cuento más por hoy.

Jueves 17 de marzo

Sigo hinchado y aburrido. Me siento mal y me duele la garganta cada vez que trago.

—Comida liviana —dijo el médico.

Y me tienen con gelatinas y sopa… papa majada y refrescos. Tengo ganas de comer y no tengo, porque me raspa la garganta cuando trago.

Puedo ver televisión y mis programas favoritos, pero de pronto me entra un sueño… y me quedo dormido. Estoy débil, seguro voy a morir. Cada vez que me levanto, siento como si tuviera tres cabezas y con el miedo que se me vayan para abajo, me acuesto enseguida.

Hoy papá me trajo unos libros para leer. Uno se llama "Viaje al centro de la tierra", de Julio Verne y el otro es un libro tan gordo, que me dio pereza ver cómo se llamaba. Pero después me entró la curiosidad y tuve que mirar, era el "Quijote de la Mancha".

Mi enfermedad es contagiosa y alguien me la pegó a mí y yo se la pegué a cinco de la clase. Eso le dijo la profe a mi mamá. Y también que no fuera al colegio hasta que esté "absolutamente curado", para que no se la pegue a nadie más.

Creo que cuando uno se va a morir es mejor ir pensando en el cielo. Porque yo no pienso en el infierno, aunque sé que el diablo es colorado y tiene un rabo. Y no pienso, porque si no, no puedo dormir. ¡Qué susto! Debajo de mi cama había un cordón rojo y grueso que me hizo sudar, porque creí que era el rabo de alguien… de quien estaba hablando pero resulta que era el cordón con que amarraron los libros que me trajo papá.

Cuando mamá quiere algo milagroso, hace novenas y ofrece promesas. Le ofrecí a Dios una promesa muy difícil: no hablar, ni mover los ojos, ni pestañear por una hora, para curarme rápido. Y apenas empecé la

promesa, mamá entró al dormitorio y comenzó a hablarme y, como yo no le contesté ni la miré, creyó que estaba muerto. Salió dando gritos, llamó a papá, al médico, a Cecilia y se armó tal alboroto en mi casa, que tuve que hablar y romper mi promesa. Por eso es que todavía no estoy curado.

Sábado 19 de marzo

Me siento un poco mejor, pero estoy hinchado y, por eso, sigo en cama. Mis hermanos vienen a veces a visitarme y juegan naipes conmigo, pero se aburren y se van ligero.

El profe nos había explicado la semana pasada que una candela se apaga si no hay aire, porque no hay combustión. Y quise hacer el experimento.

—Mamá —le dije cuando llegó a mi cuarto, quiero una candela para ofrecérsela a Dios, a ver si me curo rápido.

Mamá me miró muy raro y me trajo la candela y unos fósforos.

—Ponela en este candelero y cuidado que no se vuelque.

—"Diosito —recé—, te enciendo esta candela para que me curés rápido".

Y la encendí.

Me metí con mucho cuidado en el armario y cerré la puerta. Así mataba dos pájaros de un tiro: ofrecía mi promesa y hacía el experimento.

Pero la candela no se apagó y estar ahí metido empezó a darme mucho calor. Además estaba muy incómodo entre tanto trapo y zapatos y cajas... Entonces empecé a acomodarme mejor y...claro, en el acomodo, la candela encendió un trapo.

Cuando vi la llama grande, salí del armario y cerré la puerta con fuerza, pidiéndole a Dios que el experimento sirviera. Pero comenzó a salir humo por todas las hendijas y a oler a incendio.

Jaime, Cecilia la empleada y mamá, con ollas de agua, apagaron las llamas, que se habían hecho enormes dentro del armario.

—¡Casi quemás toda la casa! —gritaba furiosa mamá.

—Éste sólo sirve para hacer estupideces —dijo mi hermano.

Sólo Cecilia llegó al rato y me preguntó por qué lo había hecho.

—Era una promesa y un experimento —le contesté, con ganas de llorar. Y me tapé con la sábana y nadie me vio. Pero me sentí muy triste y me subió otra vez la fiebre, porque estaba colorado y bien caliente.

Cuando vino papá, sacaron el armario del cuarto, porque olía muy mal. Y papá se enojó tanto, que me dijo que me iba a meter interno en un colegio, donde me enseñaran a portarme bien, porque ya no me aguantaban. Además, estaba furioso porque ahora tiene que comprarme ropa nueva; sólo quedé con un uniforme que huele a ahumado. Y así tendré que ir al colegio el lunes.

Lunes 21 de marzo

Ya estoy bien. Hice otra promesa: comer todo lo que me ofrecieran, aunque me raspara la garganta. ¡Y me compuse!

Estuve diez días sin ir al colegio, porque no me salía la hinchazón.

De lo que sí estoy seguro es de que crecí más de una pulgada; pero me encogí de ancho, porque perdí varias libras.

Ahora tengo dos pantalones nuevos y el incendiado, que me queda "pica pollos".

Me dio mucha pereza regresar al colegio, porque tuve que poner mis cuadernos al día. Copié tareas y resúmenes, hasta que me dio un calambre en la mano y creí que se me iba a caer. Entonces no copié más. Y al día siguiente, igual. Pero ya estoy con mis cuadernos en orden. Claro que los profesores son unos desconsiderados, porque viéndome flaco y débil, pálido y encogido, me hicieron dos exámenes que tenía atrasados: mate y español.

¡Ni lástima les dio que yo no supiera nada!

Miércoles 23 de marzo

Hoy, antes de salir para el colegio, me encontré, cerca de la puerta de la casa, una gran bolsa con unos 100 duraznos, grandes y rosados.

Mis papás no se habían levantado todavía y entonces pensé que ellos habían dejado la bolsa ahí, para que yo pudiera llevar algunos al colegio.

Después pensé que se alegrarían mucho si lograba venderlos todos. "Ese dinero sería una gran ayuda para la familia" —me dije.

Y aunque la bolsa pesaba bastante, fue fácil cargarla hasta el bus porque era de manigueta.

Al llegar al colegio, mis compañeros cayeron como yigüirros sobre maíz.

—Regalame uno, Arturo.

—A mí dame dos…

—Dejame escoger los más rojitos —exigían mis compañeras.

Regalé la mitad y vendí la otra a ¢ 0.50 cada uno. Regresé a casa con ¢ 28.50. No era mucho dinero, pero mi familia se iba a alegrar de que fuera tan buen comerciante.

Me sentía feliz porque mis compañeros jugaron conmigo en los recreos y estuvieron muy amables. ¡Hasta me invitaron a jugar fut! ¡Y metí un gol, el del empate! También me preguntaron si mañana quería jugar de portero. Y les contesté que sí. Pero como siempre: una de cal y otra de arena…

Al llegar a casa, me enteré que los duraznos no eran nuestros. Un hombre se los trajo al señor Fernández, que vive al lado. Como anoche él no estaba, los dejó en casa y papá prometió llevárselos al día siguiente. Cuando papá se enteró de que los había vendido, me castigó y ahora no puedo salir del cuarto en todo el día. Además tengo que pagar los duraznos con el sudor de mi frente, limpiando los vidrios de toda la casa.

El problema es que los benditos duraznos valían ¢ 2.00 cada uno. Los trajeron de Coronado, de unos árboles muy especiales, que llegaron del exterior como experimento.

El señor Fernández está tan bravo que no saluda ni a papá ni a mamá.

Viernes 25 de marzo

Me pusieron de portero en el equipo de fut y no dejé pasar ni una bola. Nuestro equipo ganó contra el sexto y mis compañeros me felicitaron.

Estoy muy amigo de Toni, Alberto y Marcos, que son muy buena gente. Hoy hablamos de la familia y también ellos tienen problemas.

Toni dice que su papá no lo quiere, porque lo regañó mucho el día que le echó agua al tanque de gasolina para que rindiera más. Dice que fue sólo un poquitillo, pero que el papá le armó un gran pleito y entonces él se fue de la casa. Volvió cuando empezó a oscurecer, porque no llevaba pijama, ni sabía dónde iba a dormir. Y los ¢ 20 que tenía se le terminaron muy ligero, porque entró tres veces a una soda.

Yo les conté de mi familia y empecé por Jaime, mi hermano. El es dos años mayor que yo; tiene 13. Es bueno, a ratos; a veces me da rabia ver que todo lo hace mejor que yo. ¡Hasta nació de primero!

Sólo tengo una hermana, por dicha. Con ella basta y sobra. Es la consentida, por ser la única mujer, y siempre tengo que darle todo.

"Prestale tu bola a Ana para que juegue; ya la has tenido mucho rato. Además es menor que vos y tenés que cuidarla".

"Dale el asiento de la ventana a tu hermanita, porque se marea".

Ana habla a gritos, pellizca y muerde cuando se enoja, pero no puedo pegarle porque "a las mujeres no se les pega ni con el pétalo de una rosa".

José no molesta tanto. Es el menor, tiene cuatro años y está en el kinder. Yo lo quiero mucho porque está todavía muy pequeño, aunque a veces habla como una persona grande.

Mi mamá se llama Luisa. Mis abuelos querían que naciera un varón y le iban a poner Luis. ¡Qué susto se habrán llevado cuando nació una chiquita! Por dicha no salió con cara de hombre. Mamá es buena, cuando quiere, y muy furiosa cuando no quiere ser buena. Dice que yo "la saco de quicio".

Papá se llama Bernardo y es comerciante. A veces pretende ser muy amigo mío y lo logra; pero otras veces, cuando llega "cansado y nervioso" o "tenso y agotado", que es lo mismo, se vuelve rabioso y hasta le tengo miedo.

Lunes 28 de marzo

Hace muchos años, hubo una época tranquila en mi casa, donde sólo vivíamos cuatro personas: papá, mamá, Jaime y yo.

Un día inventaron que sería lindo tener una chiquita en la casa, que hacía falta.

Mamá comenzó a hacer promesas y a rezarle a Santa Ana: "Me da lo mismo un chiquito o una niña, lo principal es que venga con salud y que sea lo que Dios quiera. Claro que como ya tenemos dos hombrecitos, una chiquita nos haría mucha gracia".

Mi abuela opinaba que dos hijos, en esta época, eran suficientes.

—No se preocupe —contestaba papá—. Los hijos siempre vienen con el bollo de pan debajo del brazo.

Pero lo peor fue la rezadera que le dio a Jaime. Todos los días pedía que nos mandaran una chiquita bien linda y sana. Eso mismo durante nueve meses y dos veces al día. En total suma quinientos cuarenta rezos. Claro, los de arriba, de puro aburridos, nos mandaron a mi hermana.

—Ana es mía, yo la pedí —aclaró Jaime, cuando la bebé llegó a la casa.

—También es mi hermana, para que lo sepa —le reclamé—. Y quiero ver ahora mismo si trae el bollo de pan debajo del brazo, como dijo papá. Pero nos estafaron. No vino ni siquiera con una rosquilla. Además se parecía bastante a un ratón. Ahora Ana tiene seis años y algo ha cambiado. Creo que hasta está bonitilla. Lo malo es que cree que uno es sordo y habla a gritos, con sonido de dulzaina desafinada. A veces pienso que se equivocaron al mandarla. Seguro iba para la casa de algún cantante, de esos que se agarran al micrófono y gritan como si les doliera una muela. A lo mejor, si mi hermana hubiera ido a parar a la casa del cantante, ahora sería un músico famoso, o una música famosa; no sé cómo se dice… O tal vez estaría en la Sinfónica Juvenil, porque le gusta la música y canta bien. Es algo así como la artista de la familia.

—Yo quiero entrar a clases de ballet —declaró un día.

Y desde entonces es bailarina, con mallas y zapatos chatos.

El año pasado salió representando a la noche, en una obra en el Teatro Nacional. Mamá le hizo un vestido negro y parecía más bruja que noche. Sólo que no llevaba sombrero puntiagudo, sino un velo que le caía por la espalda.

Fuimos a ver la función de la artista todos los de la casa, hasta Cecilia y mi abuelita.

Ana nos explicó que, al apagar las luces en el segundo acto, ella salía bailando. Esa era su parte.

—"La noche pasa…" —dijo una voz.

Y en medio de la oscuridad y vestida de negro, salió Ana, bailando a pasitos cortos. Pasó de un lado al otro del escenario y no la vimos más. O sea, no la vimos del todo, porque lo negro no se puede ver en lo oscuro.

—Jesús, tanto trabajo que me dio hacer ese vestido y ni se lució —confesó mamá, muy triste.

Terminó la obra, que por cierto era bien aburrida y larga. Seguro duró tanto porque las niñas sólo sabían bailar con pasitos cortos y de puntillas.

Al fin apareció Ana muy emocionada.

—¿Me vieron? ¿Qué tal salí? ¿Bailé bien?

—Claro, hijita, lo hiciste muy bien, te felicito —dijo mi abuela, que no había visto nada.

—Muy bien, Ana. Tenemos una artista en la familia —comentaron mis papás. Cecilia y Jaime también la felicitaron. Yo le recomendé que la próxima vez saliera de sol, así la podríamos ver mejor.

Miércoles 30 de marzo

Prometí a mis padres que voy a mejorar mi conducta durante las clases. Ellos, a cambio, me ofrecieron una sorpresa si logro traer el informe semanal del colegio, sin una sola queja.

Creo que esto me costará mucho esfuerzo porque los profesores me tienen el ojo puesto. A veces hablamos bajito, durante alguna clase, Marcos, Alberto y yo. ¡Ah! pero, de salado, sólo a mí me ven y ¡zas!… me apuntan en la libreta.

Otras veces la explicación del profesor se vuelve tan aburrida, que comienzo a sentir hormigas por el cuerpo y tengo que moverme. Entonces estiro las piernas, o bostezo, o me levanto y, no sé por qué, eso desespera al profe.

También me "desaburro" doblando pedacitos de papel para tirarlos con una bandita de hule a mis compañeros. Sólo que a veces la bandita se pone rebelde y me tuerce el tiro y, en más de una ocasión, le da en la cabeza al profesor.

Pero esta vez trataré de portarme bien, aunque sea por una semana. A lo mejor vale la pena el sacrificio, porque casi estoy seguro de que la sorpresa es una bola de fut, como yo regalé la mía...

Viernes 1 de abril

Hoy jugué en el recreo con Alberto y Toni, porque Marcos está enfermo con gripe. Después nos sentamos bajo el árbol de guayaba que está en el patio de la escuela, para comer pan con jalea y quitarnos la sed con un refresco.

—¡Miren qué guayabas más ricas! —exclamó Toni de pronto, mirando hacia arriba.

—¡Y están bien maduras! —gritó Alberto, que, de gordo y colorado, tiene la cara como una rodaja de sandía, partida a lo ancho.

—Voy a bajar la más grande —seguí—. Aunque esté prohibido… No aguanto las ganas de comerme una. ¡Tengo la boca echa agua!

—Ni se te ocurra subirte a ese árbol, Arturo —me advirtieron—. Mirá para aquel lado… allí está el profesor de ciencias hablando con el director. Y además, acordate de la bola de fut.

—Nadie me va a ver, grandísimos miedosos. Mientras me subo, atisben ustedes y vean si hay moros en la costa.

En un momento me trepé al palo y agarré las tres frutas más grandes.

¡Qué cantidad de guayabas maduras había!

—¡Bajate ya, ahí viene el director! —me gritó Toni.

De un salto caí al suelo y repartí las guayabas. ¡Estaban deliciosas! ¡Hasta los gusanos! Por supuesto que el glotón de Alberto se tragó la de él casi sin masticar.

Un muchacho de octavo año se acercó y me dijo:

Te doy un colón por dos guayabas bien grandes y maduras, pero si me las bajás ya… antes de que termine el recreo.

Sin pensarlo dos veces, me trepé otra vez y le tiré las frutas.

—Aquí te dejo la plata en el suelo —me gritó, y desapareció como por encanto.

—Arturo Pol, ¿qué hace usted subido en ese árbol? ¡Bien sabe que eso está terminantemente prohibido! —sonó la voz roncota del director. Me bañé en sudor frío. Alberto y Toni me miraban desde abajo con ojos de pez moribundo. Uno con su cara redonda y colorada y el otro con su pelo negro alborotado.

¡Dios mío! Yo lo único que deseaba en ese momento era que me tragara la tierra, con todo y árbol.

Apenas pude contestar:

—Es que verá usted... señor director... Yo le vendí unas guayabas a uno... de octavo año... que me pidió, y...

—¡Y nada! Baje de ese árbol inmediatamente y me trae su libreta de comportamiento.

Se la llevé y entonces escribió:

"Arturo vende las guayabas del colegio a sus compañeros. Por este motivo su calificación de conducta será muy baja este trimestre".

¡Ya no tendremos bola de fut!

Viernes 8 de abril

Hace una semana que no escribo porque he tenido que estudiar más, como castigo por la nota del director. Si mis papás supieran que ya no queda ni una sola guayaba en el árbol, creo que pasaría todo el año castigado.

El cumpleaños de mamá es mañana y Jaime ya tiene listo su regalo: un lindo candelero de madera con dibujos de colores, hecho por él. Mi hermano es un artista en trabajos manuales y, con cualquier pedacito de madera, hace un cenicero para papá o un barquito que flota en el agua de la pila de lavar ropa.

No he hecho nada todavía para ella, porque cuando quiero hacer algo lo mejor que puedo, siempre me sale torcido y termino por botarlo. Un día hice una caja de madera para que mamá guardara las medicinas. Pero como le puse sólo clavos pequeños, porque no encontré más, algunos frascos y botellas se salieron y el jarabe para la tos se regó por el piso.

Los barcos que hago siempre se hunden, y la cubierta que hice para el directorio telefónico la lijé tanto, tanto… que se le abrió un hueco. Así es que mejor le doy otra clase de regalo. Mañana sabré si le gustó.

Domingo 10 de abril

Ayer celebramos el cumpleaños de mamá.

A la seis de la mañana, mis hermanos y yo hicimos una fila en orden de tamaño y entramos al dormitorio cantando "Feliz cumpleaños". Ahí estaba mamá, ya bañada y lista, oliendo a jabón y a cariño. Sí, porque cuando la abrazo, siento un olor como a pan acabado de sacar del horno, o a caja de confites, o a plátanos en miel. Es delgada como el pinito que acabamos de sembrar en el jardín, pero tiene muchísima fuerza. A veces nos tomamos de la mano y apretamos duro, a ver quién aguanta más. Ella siempre me gana y tengo que gritarle: "¡Me rindo!" Casi siempre está sonriendo. Bueno… cuando no hago travesuras, porque, si son grandes, a veces se enoja tanto que hasta llora. Entonces me siento mal. Lo bueno es que un rato después veo que le empieza a nacer otra vez la sonrisa en sus ojos negros, le baja hasta el corazón, y le llega a los labios y me da un beso. Y con un beso nos recibió a cada uno de nosotros cuando entramos al dormitorio y, muy contenta, abrió los paquetes.

Mi hermanito José le regaló un perfume. Venía muy bien envuelto y encima puso una rosa, que arrancó del jardín. Como la traía muy apretada, al dársela a mamá se deshojó toda y los pétalos cayeron sobre la cama.

Ana le dio una caja de jabones y un dibujo pintado por ella.

Jaime, el candelero de madera, y yo le di un sobre con monedas.

—¡Felicidades, mamá! —le dije abrazándola fuerte.

—Gracias, hijo… pero ¿de dónde sacaste tantas monedas?

—Bueno… no me regañe, pero la verdad es que… vendí guayabas toda la semana. Mejor le doy la plata para que se compre algo que le guste bastante. No es mucho, pero de algo sirve.

Comenzó a toser y se le llenaron de agua los ojos. No sé si quería llorar o es que está resfriada. Lo que más me alegra es que no me regañó.

¡Qué duro trabajé esta semana vendiendo guayabas y qué sustos pasé para juntar esos ¢ 36.50!

Martes 12 de abril

Ayer fue 11 de abril y en el colegio celebramos una de nuestras fiestas cívicas. Desde hace varios días, a los alumnos de quinto grado nos prepararon para dramatizar la batalla de 1856, que fue en Rivas de Nicaragua. En ella murió nuestro héroe, Juan Santamaría, cuando quemó el mesón donde estaban los filibusteros de William Walker, y los obligó a huir.

La maestra nos dio una recitación para aprender de memoria. El alumno que mejor la recitara iba a representar a Juan Santamaría en la dramatización.

Decía así:

—¿Quién eres tú, tamborcillo,
el del aire tan marcial
que no pareces soldado
sino bravo capitán?

—Soy un hijo de Alajuela,
mi sencillo nombre es Juan.
Erizo me dicen otros
cuando me quieren nombrar.

—Con tu sonoro tambor
que va marcando el compás

de la marcha a los valientes
soldadito, ¿adónde vas?

—A Rivas de Nicaragua,
a Rivas voy a luchar
contra la banda invasora
que nos quiere esclavizar.

—¡Buena suerte, tamborcillo!
—¡Voy decidido a triunfar!…

Me la aprendí muy bien porque ¡tenía tantas ganas de representar al Erizo!

Jaime me dijo que perdiera las esperanzas porque soy rubio y de ojos azules y Juan era moreno y de pelo negro; eso me tenía algo nervioso.

Por fin llegó el día de la gran decisión: la maestra me escogió a mí. Declaró que era el que tenía mejor entonación y más fuerza en la voz y que por eso haría de soldado Juan. ¡Qué alegría tan grande!

Sólo que las cosas no salieron muy bien que digamos, por culpa del estúpido de Marcos.

La próxima vez que escriba, cuento lo que pasó.

Jueves 14 de abril

Cumplo mi promesa de escribir lo que sucedió el 11 de abril. Lo tengo tan presente como si acabara de pasar. Llegué al colegio en la mañana y se me pegó el ambiente de alegría. En los corredores y en las clases había banderitas que se movían con el viento y sonaban como los pájaros cuando vuelan. Al fondo del patio, cerca del árbol de guayabas, los alumnos de tercer año construyeron una casita de cartón y papel, que se parecía al Mesón. De color amarillo huevo, con dos ventanas y una puerta.

Desde allí, los filibusteros le disparaban a Juan Santamaría.

La maestra dijo en clase:

—Cuando Juan se tire al suelo y comience a arrastrarse como si estuviera herido, los filibusteros que estén dentro de la casita tienen que huir.

—¿Por qué? —preguntó Marcos.

Porque la idea es que Arturo, al llegar a la casita, le prenda fuego.

Seis compañeros, entre ellos Alberto y Toni, eran los filibusteros.

Llevaban rifles de juguete que iban a sacar por las ventanas del Mesón.

Ensayamos varias veces y doña María, mi maestra, estaba muy orgullosa y segura del éxito. Ella es bajita y gorda y corre el día entero de un lado para otro, como una hormiguita.

Hace una semana, doña María le había dicho a Marcos:

—Consiga un buen pedazo de palo de escoba y le amarra unos trapos en un extremo. Luego échele unas gotitas de canfín antes de que empiece la dramatización. Cuando Arturo termine de recitar, inmediatamente usted enciende la tea con un fósforo y se la entrega.

Marcos abrió mucho los ojos y dijo que sí con su cabezota cuadrada. Parecía un lápiz con borrador: flaco y cabezón.

—¿Y de dónde saco la escoba, los trapos y el canfín? —preguntó.

—Los trae de tarea para el once. Estoy segura que en su casa va a encontrar las tres cosas ¡Ah! Y traiga los fósforos también —terminó diciendo mi maestra.

Y Marcos cumplió con la tarea.

—¡Pero muchacho! —casi gritó doña María—. ¿Por qué cortó tan pequeño el palo de la escoba? Bueno… ya ahora no se puede hacer nada. Vamos a comenzar en unos minutos.

Y, dirigiéndose a mí:

—Venga para tiznarle la cara y el pelo con este corcho quemado.

Póngase esta gorra que le tapa media cabeza y así no será mucho el pelo que tengo que tiznar. Amárrese este pañuelo rojo al cuello. ¡Ah! Y no se olvide de que debe arrastrarse len... ta... men... te.

Empezamos a las diez de la mañana con el Himno Nacional.

—Y ahora —habló el profesor de geografía, que era el encargado de dirigir el acto—, los alumnos de quinto grado tendrán a su cargo una dramatización.

—Arturo, salga ya y diga con voz fuerte la poesía —ordenó en voz baja la maestra.

¡Y seguro que la dije a todo pulmón! Pensé bien cada palabra y sentí un orgullo enorme al poder representar al héroe de mi Patria. Y estoy seguro de que a Juan Santamaría, desde el cielo, no le importó mucho que yo fuera rubio y de ojos azules.

—¡Voy decidido a triunfar! —terminé diciendo.

Marcos, vestido de soldado, me pasó la tea encendida. Sentí que el canfín me chorreaba por el brazo y las enormes llamaradas me hacían arder la cara. El imbécil

de Marcos, en vez de gotitas, vació TODA la botella de canfín. ¡Y además con esa tea tan corta!

Comencé a caminar len… ta… men… te y vi a los filibusteros que, desde el Mesón, me disparaban con sus rifles. Me tiré al suelo, haciéndome el herido, y comencé a arrastrarme despacio. De pronto, el palo de la escoba empezó a arder y amenazaba quemarme los dedos. ¡La tea se iba a quemar, antes de que yo pudiera llegar al final! ¡Dios mío! ¿Qué hacer?

Traté de arrastrarme más ligero, pero el calor y el humo me hacían llorar y no podía ver el camino. Entonces empecé a gatear lo más rápido posible, mientras oía que, a mis espaldas, los alumnos se estaban riendo.

—¡Un herido de muerte y gateando! —comentó alguien en voz baja.

Faltaban sólo cinco metros para llegar al Mesón, pero ya el fuego empezaba a quemarme los dedos.

A través del humo, pude ver a los filibusteros que, desobedeciendo la orden de doña María, no habían salido aún del Mesón.

¡No podía más! Entre las lágrimas, el humo, los mocos y el sudor, tomé una resolución: me levanté y corrí hacia el Mesón y arroje la tea lo más cerca posible.

Oí los gritos del último filibustero que no había podido salir todavía porque la puerta era muy angosta.

Después me tiré al suelo y me hice el muerto. Traté de disimular una tos que me ahogaba, pero no pude; parecía un tuberculoso.

La casita de cartón se quemó rápidamente entre el humo gris y el olor a incendio.

Nuestro acto fue muy aplaudido.

La dramatización terminó cuando todos cantaron el himno a Juan Santamaría. Yo seguí en el suelo tosiendo y pensando que si al Erizo le hubieran dado una tea tan corta y tan empapada en canfín, a lo mejor, a estas horas, no tendríamos héroe nacional.

Sábado 16 de abril

Hoy conocí por primera vez a un muerto-difunto.

La gente siempre habla de muertos de risa, muertos de hambre, muertos de susto, muertos de cansancio... pero éstos tienen su diferencia con los muertos-difuntos.

La hermana de Toni estudia para ser doctora y va casi todos los días a un lugar de la Facultad de Medicina donde coleccionan cadáveres. Ayer le preguntamos si podíamos entrar con ella para conocerlos y prometió llevarnos hoy. Lo malo fue que, cuando íbamos a entrar los tres, se acercó un amigo a saludarla. Estuvimos parados en la puerta cinco, diez, quince minutos y, al final, resolvimos entrar solos. Ella hablaba tanto, que ni se dio cuenta.

Toni abrió la puerta del lugar donde están los muertos y entramos despacio y callados.

Era un cuarto grandísimo, con gavetas enormes al lado de las paredes. Estas gavetas eran de lata y tenían una tapa cada una. Creo que el cuarto tenía refrigeración, porque de pronto empecé a sentir frío. No había nadie más que nosotros dos y los muertos.

Nos acercamos a una de las gavetas y Toni me dijo:

—Abramos ésta, Arturo.

—Cogé vos un lado y yo el otro porque son pesadas —le propuse.

—Quitemos la tapa —ordenó Toni.

Así lo hicimos y sentí de pronto que se me paraban todos los pelos de punta, hasta los que tengo en la nariz.

Un hombre tieso y seco, color chocolate, nos miraba con los ojos medio cerrados y la boca media abierta.

—Es un negro —le dije a Toni bien quedito, para que no me oyera el muerto.

—No, tonto, dice mi hermana que les ponen una sustancia que se llama formalina para que no se descompongan y entonces se vuelven de ese color.

Toni tenía el pelo más despeinado que de costumbre, seguro del miedo, y yo ni me di cuenta de que me había comido las uñas, hasta la raíz.

De pronto oímos a nuestras espaldas:

¡BUUUUUUUUUUUUU...!

Buscamos ansiosos de dónde venía esa voz, pero no vimos a nadie.

Me sentí congelado de pies a cabeza y miré a Toni, que parecía una sábana con ojos. En tres brincos, que se me hicieron tres kilómetros, llegamos a la puerta y salimos. Sentía el corazón como una bola de fut brincando por mi cuerpo. La hermana de Toni, que todavía conversaba con el amigo, nos habló, pero yo no pude contestarle.

—Ahorita entramos, muchachos: ya voy a terminar —nos dijo.

—No te preocupés —le contestó Toni—. Otro día volvemos. Mejor nos vamos ya para la casa porque tenemos mucho que estudiar para un examen que nos hacen el lunes.

Me pareció que la muchacha se sonrió con el amigo y me entró la sospecha de que fue ella la que nos asustó con ese BUUUUUUU...

Lunes 18 de abril

Mi primo Javier me invitó ayer domingo a su finca, y lo pasé muy contento. Allí tienen caballos muy lindos. Son blancos; mi tío los trajo de España, por eso se llaman andaluces. Todos tienen nombres como Solitario, Orgullosa, Lisonjera, Recatada, y saben hacer pasos diferentes.

Cuando Javier monta a Solitario parece que va jineteando una nube. La cola y la crin son como luna derretida. Javier cuenta que él les habla en el oído y les dice qué es lo que deben hacer, pero yo no le creo.

Montamos a caballo y fuimos a la lechería para ver la ordeñadora eléctrica. Yo no había entendido bien lo que era, hasta que la vi.

Debajo de cada ubre les ponen a las vacas unos chupones con los que les sacan la leche y las ordeñan como si fuera a mano, pero más rápido, porque es una máquina.

Después fuimos al potrero a ver las vacas. Dice Javier que las más gordas están cargadas y van a tener terneritos.

Hoy doña María me apuntó en el libro de clase y se enojó mucho porque, como está tan gorda, yo le pregunté si estaba cargada. Llamó a mi mamá al colegio y le dijo que yo era un gran insolente. Claro, mamá tuvo que disculparse. Pero papá no me regañó esta vez. Sólo me explicó la diferencia que hay entre las dos palabras, embarazada y cargada, que al fin y al cabo es casi lo mismo.

Miércoles 20 de abril

El lunes me olvidé de escribir que estamos en Semana Santa. El domingo que pasó fue de Ramos y nos regalaron palmas benditas en la iglesia.

Dice mi mamá que, si hay tormenta, se enciende un pedacito de palma y deja de llover. Quisiera hacer el experimento pero, con la poca lluvia que cae en estos días, mejor es no encender nada, porque puede ser que no vuelva a llover nunca más y con todo tan seco en las llanuras de Guanacaste, es capaz que se arruinaría el país.

Hoy en la tarde vamos a ir a la finca para pasar allá jueves, viernes, sábado y domingo. Como son días santos, mi papá no tiene que trabajar.

Lunes 25 de abril

Durante los días santos no se puede trabajar ni tampoco escribir; por eso no escribí hasta hoy.

La finca queda en el Monte de la Cruz, cerca de Heredia. Es nuestra. Ahí tenemos una yegua, una casita y una hectárea de terreno.

Los días estaban fríos y ventosos. Nadie quería alegrarse, ni el sol, ni los pájaros, ni nosotros. Los árboles tenían las hojas como orejas gachas de tanto viento, y tenían un aspecto marchito. Y con ese mismo aspecto marchito regresamos nosotros a San José: todos con gripe.

El Jueves y el Viernes Santo bajamos de la finca a Heredia, a ver las procesiones que estuvieron muy bonitas. Primero desfilaron angelitos, en andas decoradas con nubes ro-

sadas o celestes. Los angelitos tenían alas de pluma o de papel y había uno tan chiquito, que llevaba chupeta y se iba durmiendo.

Luego pasaron las siete palabras, que son ángeles más grandes, vestidos de blanco. Cada uno lleva un letrero con una de las últimas palabras que pronunció Jesús antes de morir. Después venía María Magdalena, una muchacha muy bonita, de pelo negro y muy largo. Llevaba un ánfora, que es como un pichel grande para llevar agua. Es para recordar que María Magdalena le lavó los pies a Nuestro Señor. La Verónica era la que seguía en la procesión y traía en la mano una tela con tres caras de Jesús pintadas, para que nos acordemos que, cuando Él iba hacia el Calvario, ella le secó la cara que tenía llena de sangre y sudor, y Jesús le dejó, en premio, el rostro marcado tres veces en la tela.

Las imágenes de la Virgen María y San Juan venían en andas, con las caras muy tristes.

El Jueves Santo desfiló Jesús amarrado y con la corona de espinas.

El Viernes venía ya muerto-difunto en un ataúd de cristal y custodiado por un grupo de hombres, que se llaman Caballeros Marianos.

Mucha gente caminaba al lado del Santo Sepulcro, y la banda de Heredia tocaba el Duelo de la Patria.

Nosotros estábamos viendo la procesión parados en una esquina. Mamá tenía a José en brazos, para que viera mejor, y Ana se alzaba de puntillas. Papá nos iba explicando, a Jaime y a mí, lo de la pasión de Cristo. Cuando se acercaba el Santo Sepulcro al lugar donde estábamos, la gente comenzó a llenarlo todo y nos encontramos rodeados de personas como cuando uno deja en el suelo un pedazo de queque y se llena de hormigas. Entonces comenzó a faltarme el aire. La gente me empujaba y me empujaba y, no sé en qué momento, me encontré a la par del señor que tocaba la trompeta, y seguí caminando a su lado, porque había más campo.

De pronto pasó algo terrible: un hombre se descompuso y vomitó en medio del gentío y al lado del Santo Sepulcro. Al momento se hizo un claro entre la gente y el músico casi se traga la trompeta, porque lo empujaron por detrás.

Yo sentí una garra que me cogía el brazo y vi que era papá, que hacía esfuerzos casi imposibles para llegar donde yo estaba.

—¡Arturo! —me gritó. Y, tratando de hablar bajito porque la gente rezaba, siguió: —Nos buscás en la esquina donde estábamos...

—¡Sí! —le dije moviendo la cabeza.

No vi más a papá. Yo traté de salir de entre aquel montón de robots humanos que caminaban al mismo paso y movían los labios, pero cada vez que avanzaba dos pasos hacia algún lado me reclamaban:

—¡Chiquito, no empuje!

Entonces resolví quedarme parado en el mismo lugar y ellos me empujaban, pero ya no decían nada. Comencé a caminar para atrás, contra corriente, inventando así una nueva táctica. Es difícil, pero se puede; hasta que pegué con el sacristán que llevaba el incienso.

Al llegar ahí, ya pude salirme del hormiguero y fui a buscar a mi familia. ¡Estaban histéricos! José lloraba y papá y mamá discutían.

Jaime le explicaba a Ana por qué habían matado a Nuestro Señor, y Ana hacía pucheros. Cuando me vieron, se calmaron. Entonces, regresamos a la finca.

Al llegar a la casa, mi hermanito menor era el que preguntaba quién había matado a Jesús y por qué. Y, ya en su camita, antes de dormirse, me preguntó si a San Nicolás también lo habían matado.

El domingo de Resurrección fuimos a misa y me dio vergüenza ser hermano de Ana, por lo que dijo. Cerca del altar mayor había una imagen del Resucitado, que estaba con una bandera blanca en la mano. Pues a mi hermana se le ocurrió preguntar con voz tan fuerte, que la gente se volvió para mirarla:

—"A Jesús lo enterraron con esa bandera o ¿de dónde la sacó?"

La gente que estaba cerca de nosotros empezó a reírse y un señor me volvió a ver y se sonrió conmigo, pero le puse cara de serio porque no me gusta que se rían de mi hermana.

No sé por qué Ana tiene siempre que hablar a gritos.

Mi papá le explicó, después de la misa, que la bandera era solamente un símbolo, el de la victoria, pero creo que no entendió muy bien…

Miércoles 27 de abril

¡Qué cólera me da ver la ilusión que tienen los maestros por hacer exámenes después de los días feriados!

Tengo examen de matemáticas y no me sé muy bien las tablas de multiplicar. Voy a hacer papelitos con los números de las tablas, diminutos, y los voy a guardar en el bolsillo. Si se me olvida algún resultado, saco el papel y ya está. Pensándolo bien, mejor haré tres papeles: el del bolsillo, otro que voy a pegar detrás de la regla y con el otro hago un rollito y lo meto dentro de la tapa del bolígrafo. Así no puedo fallar. El examen es mañana, jueves. El viernes escribo cómo me fue.

Viernes 29 de abril

¡Lo que me pasó el jueves es algo increíble!

Hice tantas veces los papelitos con las tablas, que en la noche no pude dormir: sólo veía números.

Cuando llegué al examen, me sentí tranquilo por los "forros" que llevaba. Sólo el del bolígrafo no sirvió, porque, a la hora de escribir, abrí la tapa y se salió el papelito. Entonces tuve que tragármelo para que el profe no lo viera. Pero me quedaban los otros dos.

No tuve necesidad de copiar. Seguramente, de escribir tantas veces las tablas,

me las aprendí a la fuerza. Y lo mejor de todo es que mi examen estuvo entre los primeros de la clase. Me felicitaron en el colegio, y en mi casa por poco hacen una fiesta.

No sé por qué tanto alboroto, si al fin y al cabo, no es tan difícil sacar buenas notas…

Domingo 1 de mayo

Hoy es el día del trabajador. Se debería llamar del no-trabajo porque el 1° de mayo nunca se trabaja y menos si cae domingo como hoy.

Así es que yo también me tomo el día feriado y no voy a escribir.

Martes 3 de mayo

Seguro que cuando Jaime sea grande va a ser ingeniero o constructor. Siempre está inventando cosas y no suelta ni el martillo ni los clavos. En el garaje acaba de construir un banco para carpintería. Tiene serrucho, alicates y frascos de vidrio llenos de clavos y tornillos.

Dice mamá que cuando Jaime era chiquito, le pedía unas cosas muy complicadas a San Nicolás. Una vez le pidió un hueco para echar cosas; otra vez le pidió un ascensor. Y siempre quiso un carro de bomberos con una escalera bien grande para poder subirse. Y lo que más le gustó en una Navidad, fue un juego de herramientas de carpintería. Desde entonces es constructor.

Ahora se está haciendo un velero y lo está armando en el patio de atrás. No es un velero muy grande; sólo tiene siete pies de largo. Asegura que cuando lo termine lo va a llevar al lago que hay en la represa de Cachí. Está muy orgulloso y tiene razón, porque le está quedando muy bonito.

Jueves 5 de mayo

Hoy, después de ir al colegio, fui con mamá y Ana para hacer compras en la ciudad.

El automóvil tiene la luz direccional descompuesta y, al llegar a una esquina, mamá sacó la mano para indicar que iba a cruzar. Un ciclista que venía cerca de nosotros no vio la señal y, cuando mi mamá cruzó, él siguió recto y nos chocó. Se oyó un grito y quedamos paralizados.

—Dios mío —decía mamá—. Seguro que lo hice picadillo. ¡Qué horror!

Ana comenzó a llorar, como acostumbra a gritos, y yo trataba de calmar a las dos; pero ninguna me oía. Al fin nos bajamos para ver lo que había pasado. ¡Un desastre! Trozos de carne por todos lados; un zapato negro tirado en medio de la calle, y un charquito de sangre con un pedazo de hígado encima.

Sentí un nudo en el estómago y se me pusieron las manos frías, como si estuviera en el Polo Norte. No quería pensar en los muertos-difuntos, pero sólo eso me venía a la mente.

También pensé que mamá iría a la cárcel por el resto de su vida y nosotros quedaríamos huérfanos de madre.

—¿Dónde está la cabeza de este muchacho? —preguntó mamá llorosa.

Me puse a buscarla debajo de los otros carros, pero no vi nada. Seguro había rodado calle abajo.

En eso llegó el policía de tránsito.

—¿Qué pasó aquí? —preguntó.

—¡Ay, señor! —dijo mi madre y le temblaba la voz. Creo que maté a un ciclista que no vio la señal de que yo iba a cruzar. Estoy buscando la cabeza entre ese montón de carne. Mire… el hígado… ¡los sesos!

—Tranquilícese, señora. Usted no ha matado a nadie. Mire al muchacho, ahí está. Es el repartidor de carne y lo que está en el suelo, era lo que traía en el cajón de reparto.

Lomos, lomitos, piernas de cerdo, hígado y sesos se colocaron de nuevo en el cajón de la bicicleta. El muchacho nos miró, se puso el zapato negro que estaba en medio de la calle y dijo algo que mamá no entendió, por dicha. Luego siguió su camino.

Nosotros, en cambio, nos quedamos sentados en el carro como media hora, mientras mamá tomaba aliento y se calmaba.

¡Y claro!, nos fuimos de regreso a casa, sin hacer ninguna compra.

Sábado 7 de mayo

Hoy vino Marcos a jugar fut porque como yo estoy un poco resfriado, no puedo salir. Entonces organizamos un partido dentro de la casa. Por suerte no había nadie, bueno… sólo Cecilia, que nos dio permiso. La puerta del dormitorio de Ana era mi portería y la puerta del dormitorio de Jaime, la de Marcos. Para no hacer mucho daño, jugamos con la pelota de tenis, porque una de fut, dentro de la casa no sirve. Comenzó el juego y corríamos de un lado a otro tratando de meter un gol. ¡Qué buenas jugadas de marcaje! Un tiro a la puerta y… ¡gooool! La bola entró al dormitorio de Ana y Marcos anotó su primer punto.

—No hagan mucha locura ustedes dos —dijo Cecilia, asomando la cabeza con precaución—. Después viene su mamá y la que se sopla la regañada soy yo. Arturo, ¿me está poniendo cuidado a lo que le digo?

—No se preocupe, si estamos calmados. Es sólo este partido y ahorita se acaba: con dos goles le gano a Marcos.

—¡Qué cáscara! ¿No ve que le voy ganando? —se burló Marcos.

—Yo soy Heredia —le dije.

—Yo soy Saprissa —me contestó. Y alístese, que ahí va la goleada.

Cecilia se retiró sonriendo y parpadeó seguido, con su tic nervioso.

El partido siguió.

—¡Gooool! —grité—. ¡Empate! Y sigue la bola corriendo y cae en poder del equipo Saprissa, pero el defensa herediano se la arrebata y sigue adelantando hacia la meta contraria y ¡gooool! Acaban de meterle el segundo gol al equipo Saprissa…

—¡Y también acabás de quebrar un florero y a la estatua del Corazón de Jesús se le despegó la cabeza! —contestó Marcos jadeando.

Sudorosos y excitados, hicimos el recuento de los daños; no había sido mucho, apenas algunas cosillas sin importancia: a un payaso del dormitorio de Ana se le había quebrado un brazo, una caja de música estaba en el suelo con la tapa abierta y de adentro salía la música despacio. Los cuadros de las paredes estaban ladeados y los papeles, que Jaime tenía encima del escritorio, regados por el piso. Un helecho de mamá tenía las hojas caídas y el florero amarillo se había partido en cuatro. Pero el daño más grande era el Corazón de Jesús de pasta, herencia de mi biabuela; el pobre estaba sin cabeza en medio del corredor.

Entre lamentos, Cecilia nos ayudó a unirlo con pegalotodo y ya no se nota mucho. Nada más parece que tiene puesto un collar, pero nadie se dio cuenta, ni lo del florero tampoco; y no me regañaron.

Lunes 9 de mayo

Hoy preguntó el profesor de religión:

—¿Quién sabe cuál es el valor de una misa?

—Cincuenta colones —le contesté yo—. El padre lo dijo el domingo en misa, y agregó: hay que subirle de precio porque todo está muy caro.

El profe se enojó por mi respuesta y dijo que yo le daba un valor "material"; que ese no era el valor de una misa. Parece que una sola vale como cincuenta mil padre-nuestros, cincuenta mil avemarías, veinticinco viacrucis, setenta rosarios y varias cosas más.

Miércoles 11 de mayo

Me gusta entrar al dormitorio de mi hermanito, cuando lo están acostando, para oírlo rezar. ¡Pide unas cosas! Anoche rezó: "Niñito Dios, por favor no te llevés el sol en la noche, para poder jugar más rato".

Después dijo:

—Niñito Dios... ¿no podrías nacer un poco antes? Es que falta tanto para la Navidad...

Otro día pidió: "Niñito Dios, por qué no me prestás un rato al suspirito santo porque, como es una palomita, la podría meter en una jaula con el canario".

Viernes 13 de mayo

Ana se está volviendo inteligente. Hoy estábamos viendo televisión y me preguntó:

—Arturo, ¿cuándo dan el programa del Hombre Nuclear?

—Pasado mañana —le dije.

Se quedó un rato pensando y agregó:

—Ah, ¡ya sé! Cuando mañana sea ayer.

Lástima que lo de la inteligencia le dure tan poco. Ya en la tarde, otra vez, salió con una gran tontería. Resulta que íbamos con mamá y unos viejos comenzaron a decirle a mamá cosas como "Linda, me lleva" y mi hermana se volvió furiosa y les gritó por la ventana:

—¡Viejos majaderos, dejen a mamá en paz! ¿No saben que ya tenemos un papá?

Domingo 15 de mayo

Hoy estuve en misa y el padre habló sobre el arca de Noé, posiblemente porque estamos en temporal y hace una semana que no para de llover. El padre dijo que Noé metió en el arca sólo parejas de animales y así se salvaron de morir ahogados. Cuando dejó de llover, después de cuarenta días y cuarenta noches, los soltó otra vez y se reprodujeron los animales de todas las especies.

Mientras hablaba el padre, yo le pedí a Dios de todo corazón, que mejor quitara ya la lluvia, porque si tuviéramos que hacer un arca, ¿qué hago yo que tengo tres perros y sólo un canario?

Martes 17 de mayo

Hoy la profesora de ciencias me apuntó en el libro de clase. Ella hablaba de la reproducción de los animales y de las plantas y de lo sabia que es la madre naturaleza.

Entonces yo le pregunté:

—¿Por qué es que siempre dicen la madre naturaleza, la madre patria, la madreperla, y al padre ni lo mencionan?

Como mis compañeros se rieron, entonces me apuntó a mí, como siempre de salado.

Jueves 19 de mayo

Hoy vi una película en televisión que me dio mucho miedo. Salían unos monstruos y mamá me dijo que mejor lo apagara, porque no iba a dormir en la noche. Pero, cuando me lo dijo, ya había visto lo peor: una enorme araña que se comía a un hombre, y después, un monstruo que caminaba muy despacio entre la neblina.

A media noche, estaba entre dormido y despierto; y comencé a oír pasos. Abrí los ojos y vi, a través de la cortina, una sombra que se movía.

—¡La araña! —grité, pero no me salió la voz.

Entonces me tapé la cara con las cobijas y debajo de ellas comencé a oír un tambor: era mi corazón que golpeaba con fuerza. Oí pasos y saqué un ojo fuera de la sábana. Una sombra se acercaba: ¡el monstruo!

Ya mi corazón no era un tambor sino un bombo. Yo estaba sudando frío, y un hilito de miedo me bajaba por la nuca.

"Padrenuestro lleno eres de gracia" ...se me hizo un lío con el padrenuestro y el ave-maría. "¡Ay Diosito, ayudame que hasta se me olvidó rezar!".

—¡Ay, ay! —grité—. ¡El monstruo! ¡Auxilio!

El monstruo siguió acercándose hasta que llegó a mi cama y me tocó suavemente.

—¡Ayyyyyyyyyyy! —grité con todas mis fuerzas.

Con los pelos parados salté de la cama: ¡Papá, mamá! ¡Me matan!

—¡Arturo, basta! —reconocí entonces la voz enérgica de mi padre.

Se encendió la luz y pude ver que, en efecto era papá, gracias a Dios.

—Te oí gritar y vine a ver qué pasaba, hijo.

—¡Ay papá! ¡Qué susto! Creí que era el monstruo y también vi la araña en la cortina.

—¿Cuál araña?

—No sé, había algo ahí hace un rato.

—Claro… hoy hay luna llena y se ve la sombra del pino que se mueve con el viento. Vamos a dormir que se hace tarde y nada de miedos. Esa maldita televisión les está llenando la cabeza de tonterías. Papá no supo que me pasé al cuarto de Jaime y dormí en el suelo el resto de la noche.

Sábado 21 de mayo

Hoy fue el cumpleaños de Alberto, invitó a varios compañeros de la clase y también llegaron primas y primos. Liliana es una de las primas que conocí; es rubia y muy bonita.

Jugamos a pegarle la cola a un burro que estaba en la pared. Teníamos que caminar con los ojos vendados y tratar de pegársela lo más cerca posible del trasero. Al que lo lograba le daban un premio. Liliana, con los ojos vendados, caminó directamente hacia el burro y le pegó la cola donde la tienen todos los burros.

—Seguro que está viendo —dijo el primillo de Alberto que no tiene los dos dientes de adelante.

Liliana se quitó el pañuelo que le cubría los ojos y toda colorada, le contestó:

—Para que lo sepa, no he visto nada porque este pañuelo es muy oscuro; póngaselo para que vea que es cierto.

Pero aquí, entre nos... yo creo que Liliana podía mirar por debajo, porque iba caminando con la cabeza muy echada para atrás. Cuando llegó mi turno, me amarraron el pañuelo con tanta fuerza que casi no podía respirar. Me dieron tres vueltas en el mismo lugar y me mandaron donde el burro. La cola tenía una tachuela en el extremo.

Comencé a caminar.

—¡Va bien, va bien! —gritaban.

—¡Abuelita, quítese del camino! —oí decir.

Pero ya era muy tarde.

—¡Ayyyy, mi espalda! —sonó la voz ronqueta de la abuela de Alberto. Me

quedé petrificado, porque el burro al que yo le estaba poniendo la cola se estaba moviendo.

Me quité el pañuelo y vi con horror que a la abuelita de mi amigo le colgaba la cola del burro en la espalda. Parada, con una bandeja de galletas en la mano, me miraba sonriendo bondadosamente.

—Es mi culpa por andar repartiendo galletas en lugares donde no se deben meter los viejos, porque es peligroso que lo confundan a uno con un burro.

—¡Ay, Arturo! ¡Qué torta!… —me decían los primos de Alberto, todos a la vez.

—¡Diay maje, compre brújula! —se burlaban mis compañeros.

—Perdone, señora… es que no vi…

—¿Cómo me ibas a ver, hijito, si tenías los ojos vendados? Quítame la tachuela de la espalda, que me está haciendo cosquillas, y estás perdonado de inmediato. Y para que veás que no estoy enojada, te ofrezco una galletita. ¿Qué te parece?

—Mejor después… señora… gracias.

Y me fui corriendo al patio y me refugié debajo de un árbol. Allá llegó Liliana, seguida de Alberto y, entre los dos, me tranquilizaron y se me fue la vergüenza. Después comimos helados, barquillos y confites. También las galletas de la abuela.

Cuando Alberto iba a soplar las once velitas de su queque, comenzamos a cantarle "Cumpleaños feliz" y después se lo cantamos en inglés: "Sapo verde to you"...

Después le dieron a Liliana un premio, por haber ganado en el juego del burro.

Liliana está en sexto grado. Sabe hablar de muchas cosas interesantes y también hace queques. Dijo que me iba a invitar a su casa para que probara uno de chocolate que le sale muy bien. Ojalá me invite de verdad.

Lunes 23 de mayo

Ayer fuimos a Cachí a echar en el lago de la represa el velero de Jaime.

Salió tanta gente de mi casa, que parecía una procesión. Ibamos: la tribu de los Pol, que somos seis. Luego Javier, mi abuelita, Toni, Alberto y Marcos. Viajamos en una camioneta que le prestaron a papá, y que llevaba pegado un remolque con la lancha. Cuando llegamos a Cachí, papá arrimó la camioneta lo más cerca del agua que pudo.

Luego los hombres nos pusimos la pantaloneta de baño y las mujeres se sentaron debajo de un árbol a mirar.

Los hombres echamos la lancha al agua y costó mucho bajarla del remolque, porque era muy pesada. Por dicha mis amigos ayudaron.

Mi abuelita hizo las velas con unas sábanas viejas y, como hacía mucho viento, nos dio bastante trabajo ponerlas en el velero. Por fin estuvo listo y Jaime se montó, con una sonrisa de oreja a oreja. Papá, metido en el agua hasta las rodillas, le dio el empujón final al velero, que comenzó a alejarse, primero despacio y luego más rápido. Navegaba lindísimo y la vela se hinchaba con el viento. Estaba en medio del lago, cuando de pronto, vimos la vela inclinarse hacia un lado y ¡chas!... se fue al agua. Minutos después sólo se veía flotar la parte roja, que era el fondo del velero: se había volcado completamente. A su lado, la cabeza de Jaime se movía de un lado al otro sin saber qué hacer. Mi abuela comenzó a gritar que enviaran un helicóptero a rescatarlo porque se iba a ahogar, y papá se puso furioso con la idea.

Entonces vimos cómo Jaime comenzó a nadar hacia la orilla del lago y abandonó su querido velero. ¡Pobre Jaime! Todos

estábamos muy callados y mirábamos lo que ocurría, sin poder decir nada. Lo vimos llegar hasta tierra, pero cada vez que hacía intentos de subir, sosteniéndose de la hierba que crecía en la orilla, se le desprendía la raíz y mi hermano se iba otra vez al agua.

Mamá y abuelita lloraban y Ana sólo hacía pucheros, ¡por dicha! Mis amigos y yo nos mirábamos, sin saber qué hacer.

—¡Vamos! —dijo papá con energía—. ¡Móntense rápido!

Y salimos en la camioneta hacia donde estaba Jaime tratando de subir a tierra. Pero era imposible acercarnos a la orilla: no había camino. Al fin lo vimos llegar entre matorrales, dando brincos como un conejo.

—¿Qué le pasa a este muchacho? —comentó papá.

Llegó donde nosotros estábamos, pálido y mojado hasta los huesos, y con voz temblorosa nos dijo:

—¡Qué salado estoy! No sólo se me vuelca el velero, sino que, al subir a la orilla, me pasó una enorme culebra entre las piernas.

—¡Doble susto! —comentamos.

—Vamos a hablar con los encargados de la represa, a ver qué nos aconsejan —propuso papá.

Entramos en una oficina donde estaban unos ingenieros, quienes muy amablemente nos ofrecieron rescatar el velero. Dos hombres se tiraron al agua, nadaron con fuerza y lo trajeron a la orilla. No se había perdido nada, gracias a Dios. Regresamos a San José muy animados porque, después de todo, había sido una gran aventura.

Miércoles 25 de mayo

En el colegio ya se sabe lo del naufragio de Jaime. Desde el lunes estamos contando Marcos, Alberto, Toni y yo, cómo pasó el accidente. Hasta los profesores quieren saberlo. Lo mejor es que mis amigos tienen tanta imaginación, que han cambiado la historia más de la cuenta: Jaime quedó preso entre las velas y no podía salir, trató de enderezar el bote y casi se ahoga, se le arrolló una culebra en una pierna; hasta que mi abuelita pidió un helicóptero por teléfono, pero que no llegó. Ya la historia parecía película de miedo.

Dice Jaime que ahora quiere hacer otro velero, pero que no se vuelque; con planos y todo.

Viernes 27 de mayo

Hoy el diablo anduvo suelto por la clase. El profesor de música llamó a las mujeres para un ensayo con el coro. Los hombres nos quedamos en una aburrida hora de lectura; el único que leía era el profesor.

Teníamos un hambre atroz y no había nada sabroso en la soda, ni plata en los bolsillos de nuestros pantalones.

Entonces resolvimos atacar las "loncheras" de las mujeres, ya que siempre están llenas de cosas deliciosas.

Alberto, con mucho disimulo, abrió la "lonchera" de Isabel y se encontró un pedazo de queque de chocolate. Como es tan glotón, se lo metió en la boca y seguro se lo tragó sin masticarlo, para que nadie se lo quitara. Ésta fue la mejor "lonchera" porque a los demás sólo nos tocó pan con jalea, y a otros, un banano.

Lo malo es que las mujeres descubrieron lo del robo por Alberto, porque le quedó un gran bigote de chocolate en la boca.

—¡Anjá! —dijo Isabel enojada—. Ya sé quién me robó el queque. ¿Cómo te atreviste a abrir mi "lonchera", Alberto?

—¿Y cómo sabés que la "lonchera" que abrí fue la tuya?

—Con eso que dijiste te acabás de echar al agua y para hacerlo mejor tenés la boca untada de chocolate.

—¡Qué ladrones son en esta clase! Me robaron el pan...

—Y a mí el banano...

—Se tomaron mi refresco...

Sonaba parecido al cuento de los Tres Ositos. Sólo quejas se oían por todas partes.

La discusión no siguió adelante, porque la campana sonó en ese momento. Las compañeras, furiosas, no nos hablaron en el resto del día. Pero no importa porque, como dice el refrán: "Panza llena, corazón contento". Además, ya para mañana se les habrá pasado el berrinche.

Domingo 29 de mayo

Hoy fui al Estadio de fútbol con mi primo Javier. Jugaban Heredia y Saprissa. Como no teníamos mucha plata, nos fuimos a las graderías de sol. Llegamos a las ocho de la mañana, porque se llena tanto... Conseguimos un buen campo, en el centro. Como a las nueve nos comimos un pan con mantequilla que habíamos llevado, porque teníamos mucha hambre. Casi no habíamos desayunado.

A las once de la mañana empezó el partido. Por dicha que Javier es herediano como yo, porque así no peleamos.

Estaban jugando los dos equipos muy parejos, cuando de pronto:

—¡Penal! —gritamos los dos.

Un saprissista le dio una patada al jugador herediano que venía con la bola para meter el gol.

—¡Sucios! —gritaron en la barra herediana.

—¡Sucia será su alma! —contestó un saprissista. ¡Y se armó la pelea! Empezaron a llover pescozones cerca de nosotros y se formó una guerra como entre diez.

Alguien de las graderías comenzó a quemar papeles y a tirárselos a la gente que peleaba.

A mí, de rebote, me cayó en la cabeza una bolsa plástica llena de orines.

—¡Tarados! ¡Hijos de…! —me levanté furioso con ganas de matar al primero que se me pusiera a la par.

—¡Siéntese, carajillo, que no me deja ver! —me gritó uno de atrás.

—¡Goool! —se oyó por todos lados.

¡Se había metido el penal!

Javier y yo nos abrazamos llenos de felicidad.

—¡Ay, maje! Estás hediondo a miaos.

Y la pelota siguió rodando y de pronto cayó en manos del volante izquierdo y… ¡Goool! Pero no fue gol… había pegado en uno de los extremos del marco.

Javier se había tragado, sin querer, un chicle que venía masticando desde que salió de la casa y yo me había comido todas las uñas.

En el primer tiempo quedó uno a cero; ganaba Heredia. Comenzó el segundo tiempo. El sol nos daba en la cabeza y el olor a orines me tenía mareado.

—Maje, me encontré dos colones en la bolsa —me dijo Javier. Comprémonos algo.

—¿Y no es la plata del bus? Si la gastás, tenés que irte a pie.

—No, la plata del bus la tengo en esta otra bolsa…

"Sánguches, sánguches de carne y de queso". "Empanadas, empanadas".

"Doncito, ¿quiere cerveza fría?"

"Coca Cola, Fanta, Esquer…"

"Pastillas, chicles…"

—Dame un chicle —pidió Javier. De por sí no me alcanza para más.

—¡Qué pase más lindo!

—¡Claro, porque estaban en buena posición!

Tira al marco y… ¡Gooooool! ¡Se empata el partido! ¡El gol de la igualada!

¡Cómo se le ocurre al portero salirse tanto del marco!

—¡Qué golazo! —gritaban los saprissistas.

—¡Un gol espectacular! —sonaba en un radio de baterías la voz del comentarista deportivo.

Y así terminó el partido, con un empate de 1-1.

—¡Qué rabia, el partido lo tenía ganado Heredia! —me comentó Javier.

—¡Juez vendido! —se oyó gritar.

Pero de verdad el partido se había empatado. Javier y yo estábamos contentos.

Apenas llegué a casa, me di una ducha como de media hora y almorcé como si tuviera un mes de no comer.

Jueves 2 de junio

Llevo cuatro días estudiando como un imbécil; por eso no pude escribir sino hasta hoy.

Además estoy castigado y no me dejan ir a la función del circo. ¿Por qué estoy castigado? Por lo de siempre: mandaron el libro de reportes a casa, con seis apuntadas y una es la del profesor de música. ¡Ya estoy harto del colegio!

En la tarde fui con Toni al circo, lástima que sólo por fuera. Claro que no parecía nada especial, de por sí...

Toni y yo vimos los animales asoleándose y los pobres nos miraban con ojos tristes. Había cuatro elefantes, tres monos grandes y dos pequeños, una jirafa, cuatro leones y un caballo blanco. También vimos a un payaso que nos hacía muecas y nos invitó a entrar en la carpa. Estaban ensayando los trapecistas y se columpiaban como si fueran plumitas movidas por el viento. Después de que ellos bajaron de los columpios, la carpa quedó sola.

—¿Sabés hacer alguna maroma rara en la cuerda? —le pregunté a Toni.

—Mezámonos un rato —me contestó. Debe sentirse toreado uno allá arriba.

Comenzamos a subir por la escalera; yo iba adelante y Toni detrás de mí. Pero no nos dejaron llegar muy alto, porque apareció el domador de leones y, dando un latigazo en el suelo, nos gritó que bajáramos inmediatamente o si no llamaba a la policía. Y tuvimos que salir en carrera.

A papá le entró la chifladura de que quiere ser inventor. Va a instalar un aparato en el techo para que se chupe los rayos del sol y lleve el calor al tanque de agua caliente. Es que la electricidad está muy cara. Desde las cinco de la mañana anda papá en el techo, y hace tanto ruido, que nadie puede dormir más. El invento sólo sirve si hay sol, porque si es un día feo o nublado, nos tendríamos que ir a bañar donde mi abuelita o no nos bañamos. Tal vez ahí sí esté la economía.

Papá asegura que este invento tiene mucho futuro y ya se usa en varias partes del mundo. Esta semana va a trabajar duro con el invento y me dijo que yo le podía ayudar.

Lunes 6 de junio

Dentro de unos días será la exposición de caballos de Bonanza. En ese lugar se hacen las exposiciones de ganado vacuno y caballar. Nosotros tenemos una yegua que se llama Preciosa; es medio andaluza, pero lo malo es que está un poco pandeada. Seguro, de tanto montarla, se le ha hundido el lomo. Ésas son las diferencias, porque si tuviera esa parte salida, sería algo así como un pariente de los dromedarios.

Le pregunté a papá si podíamos competir y me dijo que tal vez la inscribía.

El papá de Javier sí va a llevar varias yeguas y potrancos, y un caballo lindísimo que se llama Solitario, al que a veces le dicen "el garañón".

Javier tiene una yegua sólo de él; se llama Coqueta y si le hablan o le tocan en las patas con un palito, hace pasos raros. Javier también le peina la crin, que es blanca y brillante, parecida al pelo de mi amiga Liliana. Ella lo tiene largo hasta la cintura y le cae como la catarata de un río que está cerca de la presa de Cachí. Y si hay mucho viento, le ondea como una bandera.

Otras veces se hace dos trenzas y se ve tan bonita...

¿En qué estaba yo? ¡Ah, sí! Hablaba de caballos. Ojalá llevemos a Preciosa.

Miércoles 8 de junio

Al lado de nuestra casa hay un lote vacío que está siempre lleno de hierba, como casi todos los lotes. La gente que vive por aquí cree que es un basurero y ahí dejan desde el zacate que cortan de los jardines, hasta papeles, tarros, botellas y cuanta cosa hay que se puede llamar basura. De este lote salen ratas, cucarachas y culebras que se meten en mi casa por todas partes. Ayer logré atrapar un ratoncito que corría como loco por la cocina. Mamá, subida en una silla, daba gritos, y Cecilia, escoba en mano, perseguía al animalito. Cuando se metió detrás de la puerta, lo cogí del rabo fácilmente.

—¡Qué asco! —casi lloraba mamá—. Tirá ese animal a la calle, Arturo, y lavate bien las manos —me ordenó tapándose la cara.

"Voy a jugar un ratito con él y después lo dejo que se vaya", pensé.

En mi cuarto tenía una caja de cartón que estaba vacía; le abrí unos huecos y metí allí al ratoncito. Después le llevé un pedazo de queso que había en la nevera y le puse un frasco con agua. En esa caja y debajo de mi cama, el ratón podría bien pasar unos días. Jugué durante la tarde con mi amigo, que es muy divertido: tiene un gran bigote con cuatro pelos de cada lado y unos ojos chiquitillos que me siguen cada vez que me muevo. Le puse al cuello la cadena con la medalla de María Auxiliadora, que me regaló mi madrina cuando hice la Primera Comunión. Bueno, tuve que darle varias vueltas porque le quedaba muy grande y, además, le quité la medalla, para que la Virgen no se enojara. A la cadena le amarré un cordel y así el ratón podía correr, pero no se escapaba.

Al final de la tarde, ya se subía por mi mano y se paraba en mi hombro izquierdo. Me pareció que decía:

—Arturo…

Pero a lo mejor es sólo mi imaginación. Me da risa verlo porque parece un hippie con cadena. La cosa es que mamá no lo descubra… Tal vez, si le hablo a Cecilia… porque si mañana barre debajo de mi cama, lo va a encontrar.

Viernes 10 de junio

Cecilia prometió no decirle nada a mamá y así me siento mejor.

Papá le pidió al dueño del lote que se lo prestara para limpiarlo y poder hacer allí una huerta. Al principio el señor no quería, pero papá le dijo que así no tendría que pagar para que lo limpiaran y que, al fin de cuentas, sería una economía para él. Además, le daríamos lechugas, rabanitos, perejil, culantro; en fin, lo que se cosechara.

¡Y por fin dijo que sí!

Mañana sábado y el domingo vamos a trabajar todos para dejarlo limpio y bonito. Después sembraremos las semillas. Dice papá que ojalá todos los lotes vacíos fueran huertas. ¡Qué lindo se vería San José!

Domingo 12 de junio

Mañana Jaime va a inscribir a Preciosa para la exposición de Bonanza, que será el 30 de este mes.

Son las siete de la noche y estoy cansadísimo, porque hoy trabajamos duro. Desde las seis de la mañana comenzamos a quemar basura en un hueco y a romper la tierra con pico y pala. Yo creo que a los vecinos no les gustó mucho lo del humo, porque vimos que cerraban puertas y ventanas. Pero si no quemábamos la basura, teníamos que pagar un camión para que se la llevara, y eso habría salido muy caro.

Jaime, papá y yo hacíamos el trabajo más pesado; mamá y Ana, con un machete, cortaban la hierba pequeña. A José le dimos una cuchara oxidada y abría huecos en la tierra.

Alberto, que vive cerca de nuestra casa, vino a buscarme y lo invité a trabajar. Nos contó que el humo se había metido hasta en la casa de ellos y creyeron que había un incendio en el vecindario. Tuvimos que enseñarle a palear, porque no sabía. Nos ayudó mucho y hasta se le hicieron ampollas en las manos… y a Jaime y a mí, también.

A mediodía almorzamos con muchísimo apetito y dos horas después seguimos trabajando. A las cinco de la tarde el lote quedó limpio y listo para sembrarlo.

Jaime descubrió un nido de ratones, y creo que son los hermanos del hippie que tengo en mi casa, pero nos callamos, porque si no mamá se hubiera ido para la cocina.

Lo que voy a hacer es que mañana meto a los hermanos dentro de la misma caja porque, ¡pobrecitos!, son tan pequeños.

Martes 14 de junio

Les conté a mis amigos lo del ratón y me dijeron que lo llevara al colegio. Voy a pensarlo, porque no quiero llevar la caja y se puede escapar si lo llevo suelto.

Toni, Alberto, Marcos y yo tenemos flechas nuevas. Las hicimos con horquetas de árbol y ligas de hule.

Cerca del colegio hay una casa muy linda que acaban de construir. Estaba desocupada y tenía docenas de vidrios grandes y pequeños.

Apenas salimos del colegio, nos fuimos a probar la puntería.

—Yo tiro primero —les dije. El que se pegue uno tiene derecho a probar con otro. Pero el inútil que pierda el tiro no puede tirar otra vez. Cogí una piedrita y apunté… "¡Chas!", se oyó.

—¡Tenés otro tiro, Arturo! —me dijeron todos.

Yo quebré diez vidrios pequeños; Marcos seis; Alberto cuatro y Toni se apeó la vidriera grande de la sala, porque le falló el pulso. Y hasta ahí llegamos… cuando apareció la patrulla. Algún vecino lengua larga la llamó.

No nos metieron a la cárcel porque cada papá pagó los daños. El de Toni pagó como tres mil colones y era el más furioso de todos. El mío pagó ¢ 450 y me obligó a descontarlos haciendo trabajos en la casa: limpiar vidrios, cortar zacate y voltear más la tierra de la huerta. Y como si eso fuera poco, estoy en exámenes.

Jueves 16 de junio

Apareció una culebra en el lote. Claro, con el charral que había, ella tenía ahí su nido muy comodito.

Hoy, después de terminar con las tareas, me fui al lote, en la tarde, a voltear la tierra. El día estaba muy caliente y la culebra salió a asolearse. Era verde y tenía como un metro de largo.

Le pedí a Cecilia una caja vacía y, con mucho costo, metí la culebra dentro.

Después de comer, le dije a mi familia que les tenía una sorpresa.

—Adivinen qué es… —les pregunté.

—¡Confites y galletas! —gritó Ana, tan fuerte, que casi me deja sordo.

—Conociéndote, debe ser algún bicho raro —comentó Jaime.

—Papá, mamá, Cecilia... ¿a qué no adivinan?

Puse la caja en el suelo y abrí las tapas. La culebra dormía en el fondo hecha un rollo.

Se hizo un silencio profundo...

Sólo José dijo muy quedito:

—La culieba está dormida.

—Vean cómo Arturo, el mago, la va a hipnotizar —agregué. Y, tomándole la cabeza con una mano, le apreté la mandíbula con fuerza.

Mamá quiso decir algo, pero se quedó muda de pronto y con la boca abierta. Papá cogió el cuchillo que había usado en la cena y se levantó, pero se detuvo en el mismo lugar. Jaime, Ana y José, con los ojos muy abiertos, me veían a mí y luego a papá. La pobre Cecilia se fue para su cuarto, rezándole al Angel de la Guarda.

¡Qué caras tenían todos!, como hipnotizados, igual que la culebra, que estaba bien tiesa y me miraba con sus ojitos pequeños.

No sé cómo pasó pero, al volver a ver a mis hermanos, me descuidé y la bandida

culebra me mordió entre el índice y el pulgar. Al momento comenzaron a salir dos chorritos de sangre donde me había enterrado los colmillos. La solté, más del susto que del dolor. La culebra se arrastró hasta el jardín y se perdió entre las plantas.

Papá corrió tras ella, cuchillo en mano, pero no logró alcanzarla.

—Ya traigo el suero Butantán, Arturito… ¿Te duele?… ¡Ay, Dios mío! ¿Y si es venenosa?… ¡Salvalo, Virgencita! —tartamudeaba mamá.

Cecilia llegó corriendo.

—Ay, doña, el pobrecito está blanco como un papel; a lo mejor se va a desmayar —decía con una voz tan angustiada que me hacía sentir moribundo—. Vea qué sangrerío está botando…

Jaime y Ana buscaban la culebra con papá, y José comenzó a llorar.

—Aquí está el suero y la aguja desechable —dijo mamá, que además traía alcohol y algodón—. ¡Bernardo! —gritó llamando a papá. ¡Ponele esta inyección a Arturo inmediatamente!

—Ay, doña Luisa, mejor espérese a ver qué pasa. ¿Y si no es venenosa? En mi pueblo se murió un muchacho, más por la inyección que por la mordida. ¡Es peligrosísimo! Vea, un médico le dijo a ese amigo de nosotros que, antes de ponerle el suero, hay que hacerle una prueba... Y es que le echan una gota del suero en un ojo; si no le pasa nada, entonces sí se le pone la inyección.

—Se escapó esa fregada culebra —entró diciendo papá, seguido de Jaime y Ana.

—¿Cómo te sentís? —me preguntó mi hermano.

—Estoy bien, esto no es nada —le contesté haciéndome el valiente. Porque la verdad es que estaba bastante nervioso con los cuentos de Cecilia.

—¿Estás mareado, Arturo? —me preguntó papá con la voz más ronca que de costumbre—. ¿Podés respirar sin dificultad?

—Sí, papá —le contesté—. Me siento bien.

—Pues te salvaste porque la culebra no era venenosa. Ya han pasado más de diez minutos y si no sentís nada raro, es que no vas a ser muerto-difunto, todavía —me agregó sonriendo.

—¡Gracias a Dios! —suspiró mamá—. Pero que sea la última vez que se te ocurra hipnotizar a una culebra. A mí, cualquier

día de éstos, me van a matar del susto…
A ver… dame esa mano para limpiarte la
sangre… con alcohol y algodón.

—¡Qué ideas las tuyas! —me regañó
Jaime, mientras meneaba la cabeza, como
diciendo que no.

Ana se acercó despacio y sobándome la
mano me dijo:

—¿Te duele mucho, Arturo? ¡Pobrecito!

—No, estoy bien, gracias. Y ya tranqui-
lícense que no fue nada.

Pero, aquí entre nos, me llevé tamaño
susto y ¿para qué voy a mentir?, sí me dolió
y mucho.

Sábado 18 de junio

—¡Ayyyyy, qué horror! —fue el grito
espantoso que dio mamá.

Yo creí que le habían cortado la cabeza
con un cuchillo a alguien de la casa, o
que se habían metido los ladrones o algo
terrible había pasado.

—¡Seis ratones en el cuarto de Arturo, y
uno de ellos tiene una cadena! —lloraba—.
Yo no estoy loca, lo vi, lo vi…

El hippie y sus hermanos se habían
salido de la caja: seguro le habían abierto
un hueco.

—Pero, señora —decía Cecilia—, usted debe haber visto mal. Además eso no es nada… cálmese.

—¡Quién sabe dónde estará el nido! Tráigase una escoba para matarlos.

Cecilia llegó donde yo estaba.

—Su mamá quiere que yo mate a los ratones, Arturo, y es que sólo a usted se le ocurre meter seis ratones en su dormitorio. Ahora, ¿qué hacemos?

—No los mate, yo la voy a ayudar a cogerlos —le propuse.

—Pues apúrese, porque su mamá está muy nerviosa. Lo que más asustada la tiene es que dice que vio un ratón con una cadena al cuello.

Lo primero que tenía que hacer yo era sacar a mamá del dormitorio, para que no fuera a asomarse debajo de mi cama. Si veía la caja, estaba perdido…

—Mamá —le dije abrazándola—, entre Cecilia y yo vamos a terminar con ese nido de ratones, pero mejor sálgase del cuarto porque usted les tiene mucho miedo y ¿para qué va a sufrir?

—Lo que no entiendo es de dónde están saliendo, si ya el lote está limpio.

—Bueno, mamá, váyase para su dormitorio y no se preocupe; en un momento Cecilia y yo terminamos con los ratones.

—Voy a llamar a Bernardo para que traiga veneno de ratas, porque esto no puede seguir así... Además creo que tendré que visitar a un médico porque debo estar muy mal de los nervios... Es que yo lo vi... tenía cadena... es más, como cuatro cadenas.

Y salió de mi cuarto hablando sola. ¡Pobrecita mamá!

Nos costó mucho a Cecilia y a mí darle caza a estos benditos animales. La caja tenía dos huecos grandes: por ahí se habían salido.

Al hippie no me costó atraparlo porque, muy mansito, llegó donde yo estaba. Pero a la turba de hermanillos, nos costó más de una hora.

Tenía que hacer que desaparecieran los ratones y la mejor manera era dejarlos en el lote otra vez. Tapé los huecos de la caja con papel periódico y ahí metí los seis ratoncitos. Con mucho cuidado, para que mamá no me viera, fui al lote y allí abrí la caja. Los hermanos del hippie salieron corriendo y se perdieron entre las hierbas pequeñas que empezaban a nacer. En cambio, mi amigo se quedó mirándome, como preguntándome qué iba yo a hacer con él… Comencé por quitarle la cadena, después lo tuve un rato en mi mano, y lo puse en la tierra. Oí que me decía "Arturo"; y esta vez sí era cierto. Sentí como si tuviera una semilla atravesada en la garganta y los ojos se me llenaron de una telilla húmeda.

—Adiós, amigo —le dije—. Ya volveremos a vernos.

Y, dando media vuelta, regresé a mi casa.

Lunes 20 de junio

Ayer domingo, Cecilia tuvo el día libre. Mamá se puso nerviosa porque, según ella, hay mucho que hacer los domingos y nadie ayuda.

—¡Cada uno debe tender su cama! —nos ordenó apenas nos levantamos, con voz acornetada, de mando.

No sé por qué mamá se enoja cuando está sin empleada. Al fin, todos le ayudamos. Hicimos el desayuno entre Jaime, Ana y yo. Queríamos que fuera un desayuno-sorpresa, para que no se enojara. Pero fue un desastre: se regó la leche, el café salió como agua sucia. Ana hizo huevos revueltos y se le pegaron en el fondo de la olla. Y además, había cáscaras de naranja por toda la cocina y casi no salió jugo. A mi hermanito José lo sentamos en una silla con una cuchara y un tarro de leche condensada, para que se entretuviera. Lo malo es que regó la mitad. Cuando mamá entró en la cocina, sí se llevó una gran sorpresa. Se puso colorada como un tomate y nos echó fuera. José estaba pegado con la leche condensada y hubo que bañarlo y "manguerear" la silla.

Papá dijo que mejor se iba al estadio porque la casa parecía un asilo de locos.

La verdad es que a mí tampoco me gustan los domingos cuando sale Cecilia.

Miércoles 22 de junio

Hoy Jaime fue a comprar semillas para sembrar en la huerta. Compró un cuarto de onza de semillas de apio, de culantro, de perejil, de tomate, repollo, lechuga, pepino, chile dulce, coliflor, zanahoria y remolacha. Además frijoles para producir vainicas. ¡Será una huerta muy bonita!

Van a germinar pronto porque en estos días está lloviendo mucho.

Me gusta la lluvia cuando estoy estudiando. La oigo golpear en el techo con sus agujitas transparentes, que bailan de un lado para otro cuando hace viento.

Dice mi profesora de ciencias que Costa Rica es un país de extremos: o no llueve y la sequía es tan terrible que se secan las cosechas, o si no, llueve tanto, que se inunda Guanacaste y también se pierden las cosechas. Por dicha los agricultores no se aburren y siguen sembrando, porque si no la pasaríamos muy mal.

No podemos hacer una huerta en el Monte de la Cruz, primero porque la yegua se lo come todo y, segundo, porque la tierra es muy pobre. Como ahí llueve mucho, está muy lavada. Pero Jaime piensa abonar bien un pedacito de tierra y con las semillas que sobran de la huerta de San José, hacer otra huerta allá. Y seguro que Preciosa se enfermará de comer tanta ensalada de lechuga con rabanitos.

Viernes 24 de junio

Salimos a vacaciones el primero de julio, ¡qué alegría!

Anoche hicimos planes para ir a la playa de Sámara, en Guanacaste. Iremos por una semana y papá hará las reservaciones en el hotel, porque en esta época va mucha gente. La playa queda muy lejos, pero es muy bonita. Lo malo es que la gasolina está muy cara.

Mamá tiene hoy una enfermedad que se llama colitis y está muy preocupada porque metió la pata.

Ella estaba en la cocina preparando el almuerzo, porque Cecilia tenía una cita en el Seguro Social: le dolía una muela. Alguien tocó el timbre y mamá, muy de prisa porque estaba friendo unos plátanos y tenía miedo de que se le quemaran, fue a abrir la puerta en carrera.

—¿Qué desea? —le preguntó a un viejito que venía con la ropa un poco arrugada y traía un bastón en la mano.

—Buenos… días… señora… podría… usted… hacerme… el favor —decía el viejito muy despacio y extendía la mano hacia adelante.

Mamá, pensando en los plátanos fritos, y con el deseo de terminar rápido la conversación con el pordiosero, le dijo:

—Sí, señor, un momento. Se fue corriendo al dormitorio, buscó unas monedas y se las entregó al señor.

Él extendió la mano y, con una sonrisa de agradecimiento, le dijo:

—Muchas... gracias... por... los... dos... colones, doña Luisa. Ya... veo... que... no... se... acuerda... de... mí.

Mamá, sorprendida, se quedó mirando al anciano y enseguida reconoció al famosísimo médico chileno que le habían presentado en casa de los García.

—Yo... no... sabía... que... usted... vivía... aquí. Cuando... la... vi... hice... el... ademán... para... saludarla. Yo... sólo... venía... a... preguntar... dónde... vive... el... señor... Bonilla.

—¡Ay, perdone que no lo reconocí! —exclamó mamá toda colorada—. Mire, el señor Bonilla vive aquí al lado.

Y por supuesto comimos plátanos quemados al almuerzo.

Domingo 26 de junio

¡Qué tragedia fue ayer, sábado! Papá se cayó del techo y se quebró una pierna. Está enyesado y de muy mal humor. Ano-

che estaba desvelado y se levantó a las dos de la mañana a ver algo del colector solar, y el guarda que cuida la casa del frente creyó que era un ladrón y le dejó ir unos tiros. Y claro, papá tuvo que lanzarse al suelo. Se tiró al patio que está enzacatado, pero, como estaba muy oscuro, no se dio cuenta de que allí estaba el velocípedo de José, y le cayó encima. ¡Pobre papá! ¡Cómo se quejaba! Quería matar al guarda que le disparó.

Mis tres perros ladraban furiosos y, con el tiroteo y la bulla, creo que los vecinos se levantaron, porque vi luces encendidas, en varias casas.

Apenas salió el sol, se fue con mamá hacia el hospital y regresó enyesado.

Yo le pedí que diera gracias a Dios que era sólo una pierna quebrada, porque podría estar muerto-difunto, pero no me contestó nada. Sólo puso una cara...

Hoy domingo amaneció más tranquilo y nos ordenó, a Jaime y a mí, que fuéramos a trabajar al lote. Hicimos eras y sembramos la mitad de las semillas. Se ve linda la tierra cuando está sembrada y, con la lluvia, ¡huele tan bien!

Martes 28 de junio

Saqué un 84 en gramática y un 75 en matemáticas, pero me sonaron en inglés. Sólo en esa materia voy mal, pero es que el profe me tiene clavo desde que le pegué, sin querer, un semillazo de mango en la cabeza. Estábamos haciendo una guerra Marcos y yo, y el profe, de salado, se metió en el medio.

Y claro, la nota de conducta sigue baja…

Jaime y yo le pedimos al papá de Javier que nos ayudara a llevar a Preciosa a Bonanza, porque papá, con su pierna enyesada, no puede.

—Con mucho gusto —nos dijo—. No se preocupen, que yo me haré cargo de todo.

Creo que papá no tenía ganas de que compitiera, pero le daremos la sorpresa.

Jueves 30 de junio

Hoy fue la clasificación de los caballos andaluces en la feria ganadera de Bonanza.

Después del colegio, nos fuimos para allá Toni, Alberto, Marcos y yo, para hacerle barra a los caballos de Javier y a Preciosa.

Estábamos todos los Pol; hasta papá con su pierna enyesada.

Había caballos andaluces que hacían pasos y parecía que estaban bailando. Si mueven las patas en el mismo lugar, sin caminar, se llama "piafar". Si caminan de medio lado se llama "paso lateral". Cuando caminan levantando mucho las manos, pero lo hacen con gracia, alternando una y otra, eso se llama "paso español". También hacen otro, que se llama "la pirueta": el caballo levanta una mano y gira en redondo.

Coqueta, la yegua de Javier, sí sabe hacer esos pasos; pero Preciosa apenas los está aprendiendo.

Y entre silbidos y aplausos comenzaron a desfilar los caballos andaluces de los diferentes expositores.

Un juez los ponía en fila, por grupos, y les iba diciendo las cualidades y defectos.

De pronto, aparecieron Preciosa y Coqueta con un grupo grande de yeguas. Cuando papá vio a Preciosa, se le puso la cara como la de una lagartija con dolor de estómago.

—¿Quién trajo a Preciosa para acá? —le preguntó a mamá.

—Jaime y Arturo querían darte esa sorpresa —le contestó sonriendo.

—¡Ay, Dios mío! —exclamó papá agarrándose la nariz con un gesto que le conocemos cuando se va a enojar—. ¡Si ese animal no es de exposición! Y entonces el juez comenzó a dar su fallo:

—"Se procede al juzgamiento de los caballos de raza andaluza. En primer lugar pongo la yegua Coqueta por tener excelente conformación. Tiene el lomo muy redondeado y el cuello erguido. Las orejas pequeñas y bien colocadas; buena forma de las patas delanteras y traseras. Su ojo es vivo y alegre. Reúne las características de un animal típico de su raza. En segundo lugar, coloco a la yegua Risueña. Es un bellísimo ejemplar, sin la perfección del animal anterior... En el tercer lugar..."

Entonces nos dimos cuenta de que a Preciosa la había puesto en el último lugar. La palidez de papá no tenía límites. Jaime y yo nos volvimos a ver, pero no dijimos nada. Mis amigos tampoco hablaron.

—He colocado a la yegua Preciosa en último lugar porque presenta el morro caído, el lomo bastante arqueado; las orejas las tiene muy grandes. Es angosta de pecho y la pega de la cola es defectuosa.

—¿Algún otro defecto? —dijo papá entre dientes.

Y, como si el juez lo hubiera oído:

—Por último, las ranillas están mal conformadas.

—¿Y eso qué es? —le preguntamos a papá.

—Como decir que está mal de los tobillos —nos aclaró.

Seguimos callados por un rato.

Los animales, después de este juzgamiento, salieron, y otro grupo volvió a entrar. Ahí venía Coqueta.

Javier no estaba sentado con nosotros, sino con su papá, el resto de la familia y amigos.

Después de que los caballos dieron varias vueltas, el juez habló por el altoparlante:

—…Y declaro como Gran Campeona a… ¡Coqueta!

Se oyeron muchísimos aplausos y pudimos ver a Javier que se levantó de su lugar y nos saludó, feliz. Nosotros estábamos muy contentos también por ese triunfo.

—Bueno —comenzó papá—. Coqueta salvó el honor de la familia. Y en eso estuvimos de acuerdo.

Pero lo mejor llegó al día siguiente, cuando Javier, despeinado y sudoroso, nos contó que, sin que nadie se lo pudiera explicar, el Campeón de Campeones andaluz, llamado Príncipe Blanco, había pasado la noche con Preciosa y seguro la había habilitado. Cargar, embarazar y habilitar, es lo mismo.

Es posible que Preciosa sea la madre de algún campeón en alguna futura exposición de Bonanza.

Sábado 2 de julio

Desde ayer estamos en vacaciones de quince días. Después de una semana de exámenes, ¡al fin voy a poder descansar de las apuntadas por mal comportamiento!

Entre gritos de alegría, nos despedimos de los compañeros:

—¡Felices vacaciones!

—¡Adiós, que la pasés bien!

—¡Hasta dentro de quince días!

Y como un panal alborotado, salimos corriendo. Era como si nos hubieran abierto una jaula: ¡ahora estamos en libertad!

¡Y qué delicia es levantarse más tarde que de costumbre!

En las mañanas me siento como si estuviera acostado en una nube y me cubriera una sábana tibia, hecha de rayitos de sol. Cuando empieza a amanecer, me alegra pensar que puedo quedarme un rato más en la cama. Lo malo es que si hay algún trabajo en la casa, en que debo ayudar, me bajan rápido de la nube y me ponen oficio. Unas veces limpio ventanas, otras corto el zacate del patio de atrás o del jardín de mi abuelita. Prefiero ir donde mi abuela, porque me pagan; en cambio los servicios que hago en casa son gratis y eso no es ningún negocio.

Hoy quisimos darle a papá otra sorpresa y, entre Jaime y yo, terminamos de instalar el colector solar. Le adaptamos dos mangueras, una para el agua caliente y otra para el agua fría. ¡Y ya sale agua caliente en la ducha del baño!… si hay sol.

Lunes 4 de julio

Hoy me levanté temprano para deshierbar la huerta. Trabajé cinco horas seguidas sacando malas hierbas. Las matas de pepino estaban tapadas por un trébol rojo que me tomó bastante tiempo arrancar.

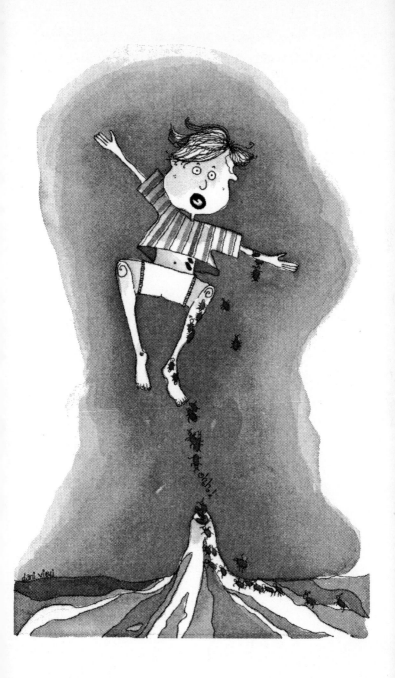

Tres eras grandes estaban sembradas de maíz y se puede decir que ya tenemos una milpa, aunque dice papá que una milpa en julio es más difícil que pegar el mayor de la lotería. El rábano y el culantro crecieron muy rápido: en cambio los almácigos de chile dulce y coliflor están como encantados: no crecen.

Estoy lleno de ronchas porque metí el pie en un hormiguero. Eran hormigas rubias y grandes que se me subieron rapidísimo por el cuerpo. Pican con mucha gana y, cuando me vi, estaba dando brincos igual que un mono. ¡Qué dolor! Comencé a desvestirme y me quedé en calzoncillos, rascándome como un imbécil.

Y en ese momento… aparecen Liliana y Alberto.

—Hola Arturo… ¿te estás asoleando? —me preguntó ella.

—No —le grité—. ¡Me están hartando las hormigas!

—Esperate y te ayudamos…

¡Qué vergüenza! Yo en calzoncillos ante Liliana… y de pie… mientras me quitaban las hormigas entre los dos.

Miércoles 6 de julio

El próximo viernes nos vamos de vacaciones a la playa, por una semana. La pierna enyesada de papá también irá.

Debemos levantarnos a las tres de la mañana, porque el viaje es como de siete horas. Y duramos tanto porque almorzamos de camino y además con Ana y José… hay que parar a cada rato…

Tenemos que cruzar el Golfo de Nicoya en un ferry que sale de Puntarenas a las siete de la mañana. Hay otro ferry que cruza el río Tempisque, pero está descompuesto en estos días.

Yo sé que nos vamos a atrasar, como de costumbre, porque se va el tiempo, mientras se acomodan las cosas en el carro, desayunamos y peleamos, porque siempre hay que pelear antes de ir a un viaje: es como una obligación; pero uno se acostumbra.

Viernes 8 de julio

Así pasó, como lo escribí el miércoles. A las tres de la mañana sonó el despertador, pero claro, nadie tenía ganas de levantarse tan temprano. Papá iba cojeando, de un dormitorio al otro, repitiendo la misma cosa:

—¡Levántense, porque tenemos que estar a las siete en Puntarenas!

—Es muy temprano… déjenos diez minutos más… —le contestábamos, muertos de sueño.

Mamá preparaba el desayuno y metía cosas en una neverita, para comer de camino.

—¡Las cuatro de la mañana y ninguno de mis hijos está listo todavía! Yo con la pierna quebrada tengo que hacerlo todo, hasta montar las cosas en el carro. ¡Es el colmo!

—Bernardo, calmate —decía mamá—: es temprano todavía: Jaime y Arturo están listos y ya te van a ayudar.

—Vengan a desayunar… Ana, traé a José… Apúrense que es tarde.

Después que desayunamos, metimos las cosas en el carro, y José terminó de tragarse el cereal; el reloj marcaba las cinco y media.

—Yo quiero la ventana a la ida —le dije a Jaime.

—No señor, me toca a mí, por ser el mayor.

—Dejen de pelear y móntense rápido —ordenó papá enojado.

—Yo quiero llevar mis tres muñecas y el coche —comenzó a gritar Ana.

—Una muñeca y basta… —le dijo mamá en tono furioso.

—Yo quiero hacer pupú… —lloró José.

—Ahora no hay tiempo… después, en el camino.

—Hasta luego, Cecilia.

—Que Dios los acompañe…

Mamá se sentó en el volante, y papá, a su lado, le daba órdenes. No me explico cómo llegamos a tiempo a Puntarenas y pudimos montarnos en el ferry.

A papá le dieron permiso de quedarse dentro del carro durante el viaje. Nosotros, mientras tanto, nos sentamos en una banca a ver el mar.

Desembarcamos en Playa Naranjo y de ahí salimos para Sámara. ¡Qué calor! ¡Y qué largo se nos hizo el camino!

Tuvimos que pasar con el carro por varios ríos que estaban muy crecidos. En uno, hasta flotamos un poco. Parecía que íbamos en un barquito. Mamá manejaba muy nerviosa y comenzó a rezar en voz alta llamando a varios santos del cielo que son amigos de ella. Yo no sé cuál de todos la ayudó; la cosa es que pasamos al otro lado sanos y salvos.

Lo malo fue que se mojaron los frenos y casi nos caemos en un precipicio, porque el carro no quiso parar cuando mamá frenó.

Una llanta se desinfló y la cambiamos Jaime y yo. Papá estaba furioso porque quería ayudarnos y no podía, y más de una vez nos dijo:

—Yo no sé por qué vine con esta pierna enyesada. Debía haberme quedado en San José.

Sin papá no hubiéramos venido y él sabía, que teníamos muchísimas ganas de hacer este viaje.

El hotel donde estamos hospedados está lleno de gente que toma refrescos y come el día entero. Dejan de comer sólo cuando están en el mar.

Papá dice que traen el nerviosismo de la ciudad y que comiendo se calman.

Tenemos dos días de estar aquí, y todavía no he hablado del mar. Primero voy a describir la playa. Es tan ancha que hasta pueden aterrizar avionetas. Está hecha de arena blanca y pedacitos de concha muy fina. Alrededor del hotel y en la playa, hay muchas palmeras, y pienso que tomaremos mucha agua de pipa.

La próxima vez que escriba, hablo del mar.

Martes 12 de julio

¡Qué lindo es el mar! A veces se ve tan tímido que me toca apenas la punta de los dedos y después se va... Otras veces una ola grande me quiere esconder dentro de ella, pero no la dejo. Hay momentos en que no lo entiendo; parece querer que uno se calle, porque hace "shhhhhh", cuando llega a la arena, y no se da cuenta de la bulla que produce, especialmente cuando uno está durmiendo, en la noche.

Frente a nuestro hotel hay rocas y, cuando la marea baja, se forman pilitas de agua llenas de pececitos de colores. Hay azules, amarillos, rojos, con rayas y puntos.

A veces el mar está tranquilo y parece que tuviera encima una tela muy fina que cambia de colores. Al amanecer es azul-celeste como los ojos de Liliana. Otras veces la tela se vuelve verde, seguro de tantas hojitas que se destiñen en el mar. A las cinco de la tarde los barcos tienen tonos de melón y la gente que se baña se vuelve anaranjada... Y, en la noche, la tela se vuelve brillante y plateada, porque la luna la pinta con un pincel mágico.

Es tan lindo el mar que podría quedarme a vivir en esta playa para siempre.

A lo mejor me convierto en caracol o en algún pececito azul… y así no tendría que volver al colegio… nunca más…

Jueves 14 de julio

Hoy como a las seis de la mañana nos despertó José diciendo:

—¡Vieran qué conejito más lindo el que está en el baño! Es blanco; vamos, vengan a verlo.

Mamá abrió un ojo y papá otro. Los demás seguimos durmiendo con los ojos bien cerrados.

—Déjanos dormir, José —contestó mamá con voz aperezada.

—¿Puedo jugar con el conejito, mami?

—¡Sí, sí, José! —dijo mamá para quitárselo de encima.

Después de un rato volvió mi hermano. Pero esta vez nos levantamos todos al mismo tiempo y nos sentamos en la cama. ¿Qué pasaba? ¡José olía terriblemente mal! Se acercó a nuestras camas y, tapándose la nariz con sus deditos, nos dijo:

—¡Sálganse todos de este cuarto porque están muy hediondos!

Pero el hediondo era él. ¡Pobrecito! El conejito blanco, que resultó ser un zorrillo, lo había orinado.

Mamá tuvo que bañarlo varias veces con jabón en polvo y un cepillo; hasta que quedó lustroso, pero el olor no le salió sino hasta el tercer día.

Sábado 16 de julio

¡Qué triste! Mañana regresamos a San José porque se terminan las vacaciones. También se está terminando mi álbum, al que ya no le quedan más que tres páginas. Cuando regresemos a San José, tal vez me compre otro, porque me he dado cuenta de que me gusta escribir en el porme-diario. Es como tener un amigo a quien contarle mis cosas, buenas y malas.

Voy a escribir lo que me pasó ayer.

Después de jugar en las rocas y darme una buena asoleada, fui a descansar bajo la sombra de un arbolillo. Era muy verde y grande y lo llaman "Manzanillo". Descubrí que daba unas pelotitas que me servirían muy bien para hacer una guerra con Jaime.

Lo que yo no sabía es que esas pelotitas tienen una lechilla venenosa que quema la piel. Mis manos se habían llenado de esa lechilla y, sin darme cuenta, me toqué los ojos.

Como a los quince minutos empecé a sentir que me enchilaban. Un rato después daba gritos de dolor.

—Hay que conseguir leche materna —oí decir a papá. Es lo único que alivia en estos casos.

—Quedate vos con Arturo —dijo mamá. Voy a conseguirla.

Después de recorrer varias casas, mamá encontró a una señora que tenía leche materna. Lo malo es que yo no sabía cómo se usaba. Creí que se tomaba como una medicina.

Seguí gritando del dolor y no podía ver bien.

En eso entró mamá con la señora que traía la leche materna, sacaron a la gente que estaba en el cuarto conmigo y cerraron una cortina que servía de puerta.

Esperaba que me sirvieran la medicina por cucharadas, pero no fue así. La señora se paró frente a mí, como a un metro de distancia, se abrió la blusa y me "manguereó" con la leche, como si fuera un bombero.

No podía ver bien entre las lágrimas, la leche y el dolor, pero sí sentí la leche tibia correr por mi cara cuatro veces.

—Creo que con eso es suficiente —oí decir a mamá. ¡Viera cómo le agradezco este favor!

—No tiene que agradecérmelo, señora —añadió el bombero. Con mucho gusto.

Me sentí tan desgraciado que a tientas busqué la cama y me tiré allí a llorar con desconsuelo, a pesar de que sé que los hombres no lloran. Poco a poco se me olvidó el dolor y me quedé dormido.

Hoy amanecí oliendo a leche agria, pero ya no me duelen nada los ojos.

Lunes 18 de julio

Regresamos a San José bien tostados por el sol.

Me dolió dejar el mar… la playa… las gaviotas…

Y hoy volvimos al colegio otra vez. ¡Qué pereza! Y más pereza me da cuando, pienso en la libreta de comportamiento.

Marcos, Toni, Alberto y yo conversamos de lo que hicimos durante las vacaciones.

Marcos fue a Limón y Toni se quedó en San José. Alberto fue a una finca de los papás de Liliana. Por cierto que me trajo un recado de ella: me espera este sábado a comer queque de chocolate en su casa. Le voy a preguntar si quiere ser mi novia.

A papá ahorita le quitan el yeso y volverá a ser como antes. Espero que no se vuelva a subir al techo.

—¡La huerta está preciosa! Las hortalizas crecieron muchísimo y pronto tendremos una gran cosecha.

Y la sorpresa más grande fue que, debajo de una hoja de lechuga, oí que me llamaban: "Arturo"…

¡Era el hippie! Me miraba con ojillos vivaces y muy orgulloso me mostró el nido donde dormían sus seis hijitos pequeños.

Nombre: _____

Edad: _____

Escuela: _____

Año: _____

Dirección: _____

¿Qué tal si comenzás tu propio DIARIO aquí?

_____

_____

_____

_____

_____

_____

_____

_____

_____

_____